Les Lectures ELI présentent une gamme complète de publications allant des histoires contemporaines et captivantes aux émotions éternelles des grands classiques. Elles s'adressent aux lecteurs de tout âge et sont divisées en trois collections : Lectures ELI Poussins, Lectures ELI Juniors et Lectures ELI Seniors. Outre leur grande qualité éditoriale, les Lectures ELI fournissent un support didactique facile à gérer et capturent l'attention des lecteurs avec des illustrations ayant un fort impact artistique et visuel.

Jules Verne

Le tour du monde en 80 jours

Adaptation libre et activités de Dominique Guillemant
Illustrations de Daniela Volpari

LECTURES ELI SENIORS   PIERRE BORDAS ET FILS

Le tour du monde en 80 jours
Jules Verne
Adaptation libre et activités de Dominique Guillemant
Illustrations de Daniela Volpari

Lectures ELI
Création de la collection et coordination éditoriale
Paola Accattoli, Grazia Ancillani, Daniele Garbuglia (Directeur artistique)

Conception graphique
Sergio Elisei

Mise en page
Airone Comunicazione

Responsable de production
Francesco Capitano

Crédits photographiques
Gettyimages, Shutterstock

© 2015 ELI S.r.l.
B.P. 6 - 62019 Recanati - Italie
Tél. +39 071 750701
Fax +39 071 977851
info@elionline.com
www.elionline.com

Fonte utilisée 11,5 / 15 points Monotype Dante

Achevé d'imprimer en Italie par Tecnostampa Recanati ERA 112.01
ISBN 978-88-536-2024-8

Première édition Février 2015

www.elireaders.com

Sommaire

Les parties de l'histoire enregistrées sur le CD sont signalées par les symboles qui suivent :
Début ▶   **Fin** ◼

LES PERSONNAGES PRINCIPAUX

*Phileas
Fogg*

*Jean
Passepartout*

Fix

Aouda

Repères

1 **Lis le texte et complète les mots croisés pour connaître le nom du Roi Anglais surnommé "le navigateur" qui au début du 16ème siècle a donné l'impulsion à l'Empire colonial Britannique, le plus grand de tous les temps !**

Le Tour du monde en 80 jours narre la grande expédition géographique de l'Anglais Phileas Fogg. Les pays traversés appartiennent surtout à l'Empire colonial britannique qui était énorme à l'époque et comptait 30 millions de km². Le voyage de Fogg a pour point de départ et d'arrivée Londres. Il traverse des pays contrôlés par l'Empire britannique : Suez, le Golfe d'Aden, l'Inde qui était alors une possession de la couronne britannique, Hong Kong qui était un protectorat et enfin les États-Unis, ancienne colonie de peuplement britannique. Dans son roman, Verne parle d'une « traînée de villes anglaises tout autour du monde ». Phileas Fogg traverse « l'Empire britannique sur lequel le soleil ne se couche jamais ». En voyageant dans l'hémisphère nord, Fogg traverse deux océans (l'Océan Indien et l'Océan Pacifique) et trois continents (l'Europe, l'Asie et l'Amérique). Ce voyage se réalise grâce aux progrès scientifiques et techniques de l'époque, à la révolution des transports comme le train et le bateau à vapeur et l'ouverture de nouvelles voies de communication comme le Canal de Suez.

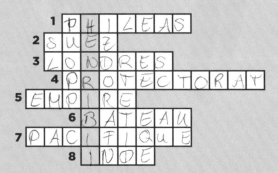

1 Le prénom de Fogg qui signifie « aimer » en grec.
2 Le canal qui facilite la navigation de l'Europe à l'Asie.
3 Le point de départ et d'arrivée du voyage de Fogg.
4 Une forme de sujétion coloniale.
5 Celui britannique s'étendait sur 30 millions de km^2.
6 Un élément qui a révolutionné les transports.
7 L'océan le plus vaste du globe terrestre.
8 On appelait ce pays « le joyau de la Couronne anglaise ».

2 Le Reform Club de Londres auquel appartenait Phileas Fogg existe vraiment. Lis et complète.

> évènements • candidature • femmes • politiques • pavillon
> bibliothèque • sociale • roman • discussion • cuisine

Le Reform Club est devenu célèbre grâce au ...*roman*.... de Jules Verne. Sa création date de 1836 et il se trouve dans un somptueux (1) ..*pavillon*.. du Pall Mall. Fondé pour des raisons (2) ..*politiques*..., seuls les gentleman anglais qui soutenaient la Loi Grande Réforme de 1832 pouvaient en faire partie. Aujourd'hui, ce Club n'a plus qu'une fonction (3) ..*sociale*..... et accueille toutes les catégories professionnelles mais pour en faire partie, il faut poser sa (4) *candidature* Le Club dispose d'une grande (5) *bibliothèque* d'une salle de billard et d'une salle de cartes. On y sert une (6) ..*cuisine*... raffinée et on y organise des (7) *évènements* sociaux et des soirées de (8) ..*discussion*.. Ce club n'admet les (9) *femmes*... que depuis 1981.

Vocabulaire

3 Observe les personnages aux pages 6 et 7, lis l'origine de leur nom et complète ci-dessous.

1 Ce personnage est figé dans ses convictions, il est impossible de lui faire changer d'avis. ....*Fix*........

2 Ce personnage porte le nom d'une clé capable d'ouvrir toutes les portes. .....*Jean*......*Passepartout*.

3 Ce personnage vient d'une région indienne dans la plaine du Gange appelée l'Aoudh. .....*Aouda*.........

4 Son nom signifie « brouillard » en anglais mais ce personnage a les idées claires ! ....*Phileas Fogg*.......

9

Chapitre I

Le pari de Phileas Fogg

▶ 2 En 1872, au 7 de Saville-Row, Burlington Gardens, vivait Phileas Fogg, l'un des membres les plus singuliers et les plus remarqués du Reform Club de Londres : un personnage énigmatique dont on ne savait rien, sinon que c'était un fort galant homme et l'un des plus beaux gentlemen de la haute société anglaise. Anglais, c'est certain, mais peut-être pas Londonneur* car on ne l'avait jamais vu ni à la Bourse, ni à la Banque, ni au port. Il n'appartenait à aucun comité d'administration n'étant ni industriel, ni négociant, ni marchand, ni agriculteur. Il ne faisait pas partie de l'institution royale de la Grande-Bretagne ni appartenait à aucune des nombreuses sociétés qui pullulent* dans la capitale. Fogg était membre du Reform Club, voilà tout.

Il était riche mais personne ne savait comment il avait fait fortune et on ne pouvait certes pas le lui demander. Généreux pour les choses nobles, il contribuait même anonymement. Peu communicatif et silencieux, il faisait toujours la même chose. Avait-il voyagé ? C'est probable, en esprit du moins, vu ses connaissances en la matière. On était certain que depuis de longues années Fogg n'avait pas quitté Londres. Son seul passetemps était de lire les journaux et jouer au whist*, un jeu silencieux adapté à sa nature où il gagnait souvent et dont les gains* finissaient surtout dans ses œuvres de charité.

Londonneur : habitant de Londres. Aujourd'hui, on dit londonnien
pullulent : existent en grand nombre

whist : jeu de cartes dont est issu le bridge
gains : avantages, bénéfices

On le lui connaissait ni femme, ni enfants, ni parents, ni amis, Phileas Fogg vivait seul dans sa maison de Saville-Row où personne ne pénétrait. Son seul domestique, dont il exigeait une ponctualité extraordinaire, servait ses repas toujours à la même heure et à la même table au Club. N'invitant jamais personne, il se couchait à minuit précis. Sur vingt-quatre heures, il en passait dix chez lui quoi qu'il fasse. La maison de Saville-Row, sans être somptueuse, était très confortable. Ce jour-là, le 2 octobre, il avait licencié son domestique James Foster pour lui avoir apporté l'eau pour sa barbe de deux degrés de moins que prévu. Il attendait son successeur assis dans son fauteuil en regardant marcher l'aiguille de la pendule. À onze heures et demie, il se serait rendu au Reform Club. On frappa à la porte et James Foster fit entrer le nouveau domestique, un garçon français d'une trentaine d'années surnommé Jean Passepartout.

– On m'appelle ainsi, expliqua le garçon à Mr. Fogg, car je sais toujours me tirer d'affaire*. J'ai été chanteur, ambulant, écuyer* dans un cirque et équilibriste. Puis je suis devenu professeur de gymnastique et sergent pompier à Paris. J'ai quitté la France il y a cinq ans pour devenir valet de chambre* en Angleterre. Je me suis présenté chez vous pour vivre tranquille car vous êtes l'homme le plus sédentaire du Royaume.

– Passepartout, répondit Mr. Fogg, vous avez d'excellentes références. Vous êtes maintenant à mon service.

Phileas Fogg prit son chapeau et sortit, puis ce fut le tour de James Foster. Passepartout se retrouva seul dans la maison de Saville-Row. Il connaissait le Musée de Mme Tussaud dont les figures de cire semblaient plus vivantes que son nouveau maître qu'il avait bien examiné. C'était un homme d'une quarantaine d'années, grand, beau,

---

me tirer d'affaire : m'en sortir, me débrouiller   **valet de chambre :** domestique
écuyer : artiste de cirque à cheval

aux cheveux blonds et au teint pâle. Calme et flegmatique*, Phileas Fogg était l'exactitude personnifiée. Il ne faisait aucun geste superflu et on ne l'avait jamais vu ni ému ni troublé.

Passepartout était un vrai parisien de Paris, un brave garçon aux lèvres un peu saillantes, aux yeux bleus. Musclé et vigoureux, sa figure grasse était entourée de cheveux bruns désordonnés. Après une jeunesse vagabonde il aspirait au repos et pour cette raison il vint en Angleterre, un pays dont il avait entendu vanter le méthodisme et la froideur proverbiale*. Sachant que Phileas Fogg cherchait un domestique il prit des renseignements. Ce personnage à l'existence régulière et qui ne voyageait jamais lui convenait. Seul dans la maison, il en commença l'inspection : une maison propre et bien organisée. Il trouva sa chambre au second étage équipée d'un système de communication avec le reste de la maison. Le programme de service était accroché au mur. L'armoire de Mr. Fogg était bien organisée, les vêtements et les chaussures numérotés pour en faciliter la gestion. Pas de bibliothèque puisque le Reform Club en avait deux. Pas d'armes ni d'ustensiles de guerre. Tout dénotait les habitudes les plus pacifiques.

– Voilà ce qu'il me faut ! dit Passepartout satisfait. Nous nous entendrons très bien ! Voilà un homme casanier* et routinier ! Une vraie mécanique !

Phileas Fogg arriva au Reform Club où il prit son déjeuner à la place habituelle. Puis il alla dans le grand salon pour lire les journaux jusqu'au dîner. Après, ses partenaires de twist arrivèrent, des personnages riches et considérés dans le monde de l'industrie et des finances.

– Où en est cette affaire de vol ? demanda Thomas Flanagan à Gauthier Ralf.

---

flegmatique : qui domine ses réactions
proverbiale : qui est devenue un proverbe

casanier : qui aime rester chez soi

– La Banque ne retrouvera jamais son argent, intervint Andrew Stewart.

– J'espère que les agents de police provenant du monde entier attraperont le voleur ! ajouta John Sullivan.

– Ce n'est pas un voleur, c'est un gentleman, répliqua Mr. Fogg.

Tous les journaux parlaient du vol de 55 000 livres accompli le 29 septembre à la Banque d'Angleterre sous le nez du caissier. Un vol facile vu que dans cette banque il n'y a ni gardes ni grillages et que l'argent est à la merci* de quiconque. Ce jour-là, on avait remarqué un gentleman distingué dans la salle des paiements qui n'appartenait donc pas à une société de voleurs. Des détectives habiles allèrent dans les principaux ports pour chercher le coupable dans l'espoir de toucher la prime*. La discussion continua à la table de whist.

– Où voulez-vous qu'il aille ? demanda Ralf.

– Je ne sais pas, la terre est si vaste, répondit Stuart.

– Autrefois, ajouta Fogg.

– C'est vrai, intervint Ralf, aujourd'hui on la parcourt dix fois plus vite qu'il y a cent ans !

– Vous pensez donc que l'on peut en faire le tour en trois mois ? interrogea Stuart.

– En 80 jours seulement, dit Fogg.

– Malgré le mauvais temps, les vents contraires, les déraillements* et les attaques de train ?! s'exclama Stuart.

– Tout compris, répondit Fogg. Partons ensemble si vous voulez.

– Mais c'est impossible ! cria Stuart. Vous plaisantez !

– Très possible au contraire, insista Fogg. Et je veux bien le faire. Je parie 20 000 livres. Un bon Anglais ne plaisante jamais. Je pari 20 000

à la merci : à la disposition
prime : récompense

déraillements : accidents quand le train sort des rails

livres que je ferai le tour du monde en 80 jours, soit 1920 heures ou 15 200 minutes. Acceptez-vous ?

– Nous acceptons, répondirent les autres tous ensemble.

– Bien, reprit Fogg, le train part de Douvres à 8h45. Je le prendrai. Puisque nous sommes le 2 octobre, je serai de retour le 21 décembre à 20h45 sinon je perdrai le pari.

Pendant la signature du procès-verbal*, Phileas était resté froid et avait engagé la moitié de sa fortune, le reste lui servirait pour les frais du voyage. On interrompit le whist pour permettre à Mr. Fogg de faire les préparatifs.

Phileas Fogg rentra chez lui et appela Passepartout, étonné de le voir rentrer si tôt, pour l'informer de leur départ pour Douvres et Calais.

– Monsieur se déplace ? demanda Passepartout contrarié.

– Oui, répondit Fogg, nous allons faire le tour du monde en 80 jours. Nous n'avons pas un instant à perdre ! Préparez un sac avec deux chemises de laine et trois paires de chaussettes pour chacun. Apportez-moi mon imperméable et ma couverture de voyage.

Une fois dans sa chambre, Passepartout tomba sur une chaise, lui qui voulait rester tranquille ! Le tour du monde en 80 jours ! Avait-il affaire à un fou ? Il prépara le sac et rejoignit son maître qui l'attendait avec un guide touristique sous le bras. Fogg mit des billets de banque des différents pays dans le sac, 20 000 livres en tout. Fermée la porte à double tour, ils prirent un taxi pour aller à la gare. ■

---

procès-verbal : document qui atteste un accord

Compréhension

1 **Lis les affirmations et réponds par Vrai (V) ou Faux (F).**

		V	F
	Tout le monde sait comment Fogg a fait fortune.	☐	☑
1	Les passetemps de Fogg sont le twist et la lecture des journaux.	☑	☐
2	Passepartout a travaillé au Musée de Mme Tussaud.	☐	☑
3	James Foster a été licencié car il n'était pas ponctuel.	☐	☐
4	Passepartout veut travailler pour Fogg parce qu'il a une vie calme.	☑	☐
5	Au Reform club on parle d'un vol à la Banque d'Angleterre.	☑	☐
6	Les membres du Club acceptent le pari de Phileas Fogg.	☑	☐
7	Passepartout est très content de faire le tour du monde.	☐	☑
8	Passepartout prépare un sac avant le départ.	☑	☐

2 **Réécoute et coche la bonne réponse.**

Nous sommes le ☑ 2 octobre ☐ 29 septembre 1872.

1 Fogg passe ☑ dix ☐ douze heures par jour chez lui.

2 On a volé ☐ 20 000 ☑ 55 000 livres à la Banque d'Angleterre.

3 L'eau pour la barbe était de ☑ deux ☐ douze degrés de moins que prévu.

4 Passepartout arrive chez Fogg avant ☐ midi ☑ 11h30.

5 Passepartout a quitté la France il y a ☑ cinq ☐ sept ans.

6 Fogg sera de retour le 21 décembre à ☑ 20h45 ☐ 8h45.

Vocabulaire

3 **Complète les phrases avec les adjectifs qui conviennent.**

Fogg a fait fortune, il est donc ....*riche*..... .

1 Fogg fait toujours la même chose, il est ....

2 Il ne parle pas beaucoup, il est ....

3 On ne sait rien de Fogg, c'est un personnage ....

4 Fogg est calme et domine ses réactions, il est ....

5 Sans gardes ni grillages, le vol à la banque a été ....

6 Fogg rentre plus tôt que prévu et Passepartout en est tout ....

4 **Le cadre de vie de Fogg. Lis les définitions et complète la grille.**

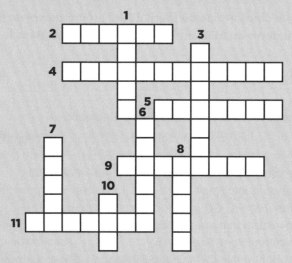

1 Fogg y lit le journal au Reform club.

2 Celle de Fogg est somptueuse et propre.

3 Cette pièce se trouve au second étage.

4 Fogg lit les livres de celle du Reform club.

5 Ses vêtements et ses chaussures y sont bien organisés.

6 Contrarié, Passepartout s'y assoit.

7 Fogg la ferme à double tour avant de partir.

8 Il mange toujours à la même.

9 Fogg attend Passepartout assis dedans.

10 Le programme de service y est accroché.

11 Ses aiguilles donnent l'heure.

5 **As-tu bonne mémoire ? Complète le portrait de Fogg et de Passepartout.**

Phileas Fogg est un très (1) .... gentleman de la haute société anglaise. Quand il sort, il porte toujours un (2) .... C'est un homme aux cheveux (3) .... et au teint (4) .... Il est (5) .... et a une quarantaine d'années. Son domestique Passepartout a les yeux (6) .... et les cheveux (7) .... désordonnés. Ses lèvres sont un peu (8) .... et sa figure (9) .... Sportif, il a un corps (10) ....

Delf – Production écrite

6 **Écris un court article de journal sur l'affaire du vol de la banque d'Angleterre en utilisant les éléments présents dans le texte.**

Grammaire

7 **Conjugue les verbes au présent de l'indicatif.**

Au 7 de Saville-Row, (habitait) (1) .... Phileas Fogg, l'un des membres les plus remarqués du Reform Club de Londres : un personnage énigmatique dont on ne (savait) (2) .... rien, sinon que c'(était) (3) .... un fort galant homme. Il n'(appartenait) (4) .... à aucun comité d'administration n'étant ni industriel, ni négociant, ni marchand, ni agriculteur. Il ne (faisait) (5) .... pas partie de l'institution royale de la Grande-Bretagne. Généreux pour les choses nobles, il (contribuait) (6) .... même anonymement. Il (lisait) (7) .... les journaux et (jouait) (8) .... au whist, un jeu silencieux adapté à sa nature où il (gagnait) (9) .... souvent et dont les gains (finissaient) (10) .... surtout dans ses œuvres de charité. On le lui (connaissait) (11) .... ni parents, ni amis, Phileas Fogg (vivait) (12) .... seul dans sa maison de Saville-Row où personne ne (pénétrait) (13) .... Son seul domestique, dont il (exigeait) (14) .... une ponctualité extraordinaire, (servait) (15) .... ses repas toujours à la même heure et à la même table.

ACTIVITÉ DE PRÉ-LECTURE

8 **Que va-t-il se passer à ton avis dans le prochain chapitre ?**

1 **À la gare Fogg et Passepartout vont rencontrer :**
   a ☐ des agents de police
   b ☐ les membres du Reform club
   c ☐ James Foster, l'ex domestique de Fogg

2 **Comment vont réagir les Anglais au projet de Fogg ?**
   a ☐ ils vont parier sur lui
   b ☐ ils ne seront pas intéressés
   c ☐ ils vont le juger fou

3 **À votre avis, qui va être accusé du vol de la Banque d'Angleterre ?**
   a ☐ Passepartout
   b ☐ le directeur de la banque
   c ☐ Phileas Fogg

4 **Comment Fogg va-t-il démontrer qu'il a fait le tour du monde en 80 jours ?**
   a ☐ grâce à son passeport
   b ☐ il va faire des photos
   c ☐ il va envoyer des cartes postales au Reform club

5 **Fogg va faire viser son passeport à Suez :**
   a ☐ parce que c'est obligatoire
   b ☐ pour démontrer qyu'il y est allé
   c ☐ pour rencontrer le consul

Chapitre II

Le grand départ

Après avoir acheté les billets de première classe pour Paris, ils aperçurent les collègues du Reform Club.

– Messieurs, dit Fogg, je ferai apposer un visa sur mon passeport pour que vous puissiez contrôler mon itinéraire à mon retour.

– C'est inutile Monsieur, dit Gauthier, vous êtes un gentleman et nous vous faisons confiance.

– Nous nous reverrons dans 80 jours à 22h45. Au revoir messieurs.

À 20h45 un coup de sifflet retentit et le train se mit en marche sous une pluie fine. Phileas Fogg ne pouvait pas imaginer le retentissement* qu'allait provoquer son départ. La nouvelle du pari se répandit dans le Club puis, grâce aux journaux, dans tout le Royaume-Uni. On discutait avec passion la « question du tour du monde ». Certains prenaient parti pour Fogg, d'autres le jugeaient insensé. Les journaux se déclarèrent contre lui, sauf le Daily Telegraph, jusqu'au jour où la Société royale de géographie y publia un article démontrant clairement la folie de l'entreprise. Il était impossible de réussir dans ce projet vu les décalages horaires* dans les moyens de transports, les incidents comme les déraillements, les rencontres ou la mauvaise saison qui auraient compromis le voyage.

Parier est dans le tempérament des Anglais et tout le monde pariait

---

retentissement : répercussions, conséquences
décalages horaires : changements d'horaires d'un pays à l'autre

pour ou contre Fogg, on fit même une valeur en bourse ! Mais cinq jours après son départ, à cause de l'article du 7 octobre de la Société géographique, les parieurs firent un pas en arrière. Un seul partisan lui resta, un gentleman paralytique qui aurait donné sa fortune pour faire le tour du monde même en dix ans ! Il paria 5000 livres.

Ce soir-là, le directeur de la police avait reçu un télégramme :

« Suez à Londres.
Rowan, directeur police, administration centrale, Scotland Place.
Je file* voleur de Banque, Phileas Fogg. Envoyez sans retard mandat
d'arrestation à Bombay (Inde anglaise).   *Fix, détective »*

L'effet du télégramme fut immédiat. L'honorable gentleman devint un voleur de billets de banque. On examina sa photo, Fogg ressemblait au signalement fourni par l'enquête. Aucun doute, le pari insensé n'avait d'autre but que de dépister la police anglaise.

Le 9 octobre, deux hommes attendaient le paquebot *Mongolia* à Suez, au milieu de la foule d'indigènes et d'étrangers : le consul anglais à Suez et un petit homme maigre à l'œil vif. Cet homme se nommait Fix, l'un des détectives anglais, parti à la recherche du voleur après le vol à la Banque d'Angleterre. Depuis deux jours il avait reçu le signalement de l'auteur présumé du vol et il attendait avec impatience l'arrivée du *Mongolia*.

— Soyez patient, lui dit le consul, le *Mongolia* n'a jamais été en retard. Je vous souhaite d'arrêter votre voleur mais cela va être difficile. Vous savez bien qu'il ressemble à un honnête homme.

— Monsieur le consul, répondit Fix, ce sont surtout les visages

file : suis (du verbe suivre)

21

honnêtes qu'il faut suspecter. Ce n'est pas un métier, c'est un art !
Mais dites-moi, ce bateau va directement à Bombay ?

– Oui, directement, assura le consul.

Le consul regagna le consulat et l'inspecteur de police resta seul.
Des coups de sifflet annoncèrent l'arrivée du paquebot, il y avait
beaucoup de passagers à bord. Fix les examinait tous quand l'un
d'entre eux lui demanda poliment* s'il pouvait lui indiquer le consulat
pour faire apposer le visa britannique sur le passeport de son maître
qui était resté à bord. La description du passeport correspondait
parfaitement au signalement.

– Il faut qu'il se présente en personne au consulat pour établir son
identité, dit Fix. C'est indispensable ! Les bureaux sont là-bas, au coin
de la place.

– Alors je vais chercher mon maître mais il ne va pas être content !
dit le passager en s'éloignant.

Fix se dirigea rapidement vers les bureaux du consulat pour
communiquer au consul que l'homme était probablement à bord
du *Mongolia*. Il lui raconta ce qui s'était passé avec son domestique à
propos du passeport.

Convaincu que l'homme ne serait pas venu, le consul rappela à
l'inspecteur que si son passeport avait été régulier il n'aurait pas pu lui
refuser son visa, d'autant plus que cette formalité était inutile et que
seule la présentation du passeport suffisait.

Le maître et son serviteur arrivèrent au consulat. Fix les observait
dans un coin du bureau.

– Vous êtes Phileas Fogg ? demanda le consul.

– Oui monsieur, répondit le gentleman. Et voilà mon domestique,

---

poliment : gentiment

un Français nommé Passepartout. Je viens de Londres et je vais à Bombay.

– Vous savez que cette formalité du visa est inutile ? demanda le consul.

– Je sais monsieur, dit Fogg, je dois pouvoir démontrer mon passage à Suez.

Le consul signa et data le passeport, Fogg paya ses droits et sortit avec son domestique.

– Il a l'air d'être un honnête homme, dit le consul à Fix.

– Possible, répondit Fix, mais il correspond parfaitement au signalement.

– Oui mais vous savez, les signalements… hésita le consul.

– J'en aurai le cœur net, son domestique est Français, et donc bavard*, je suis sûr qu'il parlera ! À bientôt monsieur le consul.

Fix sortit et se mit à chercher Passepartout auquel Mr. Fogg avait donné quelques ordres avant de remonter à bord du *Mongolia*. Une fois dans sa cabine, Fogg mit à jour son carnet de notes puis se fit servir le déjeuner n'ayant aucune intention de visiter la ville. Pendant ce temps, Fix abordait Passepartout sur le quai du port.

– Votre passeport est-il bien visé ? demanda-t-il.

– Nous sommes parfaitement en règle, répondit Passepartout, mais dommage que le voyage soit si rapide. Nous voilà à Suez, en Égypte ! Paris, je ne l'ai vue que sept heures à travers les vitres d'un fiacre* !

– Vous êtes donc très pressés ? demanda Fix.

– Mon maître oui ! Figurez-vous que nous sommes partis sans malle et que je dois acheter des chemises et des chaussettes.

---

bavard : qui parle beaucoup   **fiacre :** voiture tirée par des chevaux

– Je vais vous accompagner dans un bazar, proposa Fix. Ne vous inquiétez pas, vous avez le temps avant le départ du bateau. Je vois que votre montre est encore à l'heure de Londres, vous êtes partis rapidement.

– Mr. Fogg est revenu du Club et trois quarts d'heure après nous étions partis. Il veut faire le tour du monde mais, entre nous, je pense qu'il y a autre chose. Il a emporté des billets de banque tout neufs !

– Vous le connaissez depuis longtemps ? insista Fix.

– Moi ! Je suis entré à son service le jour même de notre départ ! répliqua Passepartout.

De telles réponses ne pouvaient que produire certaines déductions dans la tête de l'inspecteur de police qui posa d'autres questions jusqu'au bazar. Il y laissa Passepartout et retourna au consulat pour raconter au consul ce qu'il avait réussi à savoir. Il décida d'envoyer un télégramme à Londres pour demander un mandat d'arrêt et de s'embarquer sur le *Mongolia*. Un quart d'heure plus tard, un léger bagage à la main, Fix naviguait sur les eaux de la mer Rouge.

À bord, on vivait bien, même si la mer capricieuse et le vent faisaient rouler* le bateau et empêchaient souvent les chants et les danses. Que faisait Phileas Fogg ? On le voyait rarement sur le pont, il n'était pas curieux. Il faisait ses quatre repas par jour et avait trouvé des compagnons pour jouer au whist. Quand à Passepartout, il n'avait pas le mal de mer et ce voyage ne lui déplaisait pas, convaincu que toute cette fantaisie finirait à Bombay.

---

rouler : quand le bateau est pris par les vagues

Compréhension

1 **Lis les actions et écris où elles se sont déroulées.**

Fogg et Passepartout y ont acheté les billets pour Paris.
à la gare de Londres
....

1 On y parle du pari de Fogg.

....

2 Le voleur y a commis un vol de 55 000 livres.

....

3 On y attend l'arrivée du Mongolia.

....

4 Fogg y fait apposer le visa britannique.

....

5 La destination de Fogg.

....

6 Fogg y fait servir son déjeuner.

....

7 Fix y aborde Passepartout pour le faire parler.

....

8 Passepartout doit y acheter des chemises et des chaussettes.

....

2 **Réponds aux questions suivantes.**

Comment les membres du Reform club vont-ils contrôler Fogg ?
Fogg va faire apposer un visa sur son passeport ....

1 Pourquoi les journaux sont-ils contre Fogg ?

....

2 Qu'est-ce qui pourrait compromettre le voyage autour du monde en 80 jours ?

....

3 Qui est Fix et que fait-il à Suez ?

....

4 Quels sont les indices qui font croire à Fix que Fogg est un voleur ?

....

5 Faisons le point : quel a été jusqu'ici le parcours de Fogg ?

....

Vocabulaire

3 **Lis et associe correctement les mots à leur définition.**

1 ☐ Il indique que le train va partir.
2 ☐ Un accident de chemin de fer.
3 ☐ La différence d'heure d'un pays à l'autre.
4 ☐ Le gentleman qui a parié 5000 livres sur Fogg.
5 ☐ Le document qui permet d'emprisonner les voleurs.
6 ☐ Les autochtones qui vivent à Suez.
7 ☐ Fogg le met à jour dans sa cabine.
8 ☐ Celle de Passepartout est à l'heure de Londres.

a un carnet de notes   **e** un paralytique
b le mandat d'arrestation   **f** les Indigènes
c un déraillement   **g** le coup de sifflet
d la montre   **h** le décalage horaire

4 **Utilise les documents présents dans l'encadré pour compléter les phrases.**

> télégramme • signalement • programme de service •
> ~~billet de train~~ • passeport • visa • signature •
> procès-verbal • références • formalités

Le ...*billet de train*... est un titre de transport.

1 On arrive à trouver un emploi quand on a de bonnes
....
2 Le .... est le planning journalier ou hebdomadaire du personnel.
3 Pour voyager en dehors de la Communauté Européenne il faut mettre un .... sur son .... avant de partir.
4 Le .... et le portrait-robot permettent d'identifier une personne suspecte.
5 Le Petit Bleu était le nom donné au .... qui était envoyé par tube pneumatique.
6 On appose sa propre .... au bas d'une lettre ou d'un document officiel.
7 Après un accident ou un accord on signe un ....
8 Les .... sont nécessaires pour la validité d'une document.

Production écrite

5 **Sur la base des éléments que tu connais, écris le procès-verbal de Fix sur le voleur des 50 000 livres avec les indices présumés et les chefs d'accusation.**

Grammaire

6 **Transforme en utilisant un pronom personnel complément à la place du mot souligné.**

Il achète des billets de première classe pour Paris.
Il en achète ....

1 Gauthier fait confiance à Mr. Fogg.
....

2 On lit la nouvelle du pari dans les journaux.
....

3 Le directeur de la police a reçu un télégramme de Fix.
....

4 On a examiné la photo du voleur de billets de banque.
....

5 Fix se rend aux bureaux du consulat.
....

6 Fogg a donné quelques ordres aux indigènes.
....

7 Les voyageurs ne sont restés à Paris que sept heures.
....

8 Fogg n'a aucune intention de visiter la ville.
....

9 Passepartout doit acheter des chemises et des chaussettes au bazar.
....

10 Le roulement du bateau empêchait les chants et les danses.
....

11 On voyait rarement le détective Fix sur le pont.
....

12 Fogg faisait quatre repas par jour dans sa cabine.
....

Orthographe d'usage

7 **e, é, è ou ê ? Complète correctement.**

Fogg est un personnage énigmatique mais généreux.

1 Fogg a sûr_ment voyagé en _sprit vu ses connaissances en la mati_re.

2 Il _xig_ait une ponctualit_ _xtraordinaire de son dom_stique.

3 Passepartout est v_nu en Anglet_rre pour _tre val_t de chambre.

4 On parcourt la t_rre dix fois plus vite qu'autr_fois.

5 La Soci_t_ royale de g_ographie a d_montré la folie de l'entr_prise.

6 Fix veut un mandat d'arr_station car Fogg ressemble au signal_ment fourni par l'enqu_te.

7 Les Indig_nes se m_lent aux passag_rs pr_ssés.

8 Les papi_rs de Fogg sont en r_gle et Passepartout ach_te des ch_mises et des chauss_ttes.

ACTIVITÉ DE PRÉ-LECTURE

8 **Cherche 16 métiers dans la grille et avec les lettres restantes découvre ce qui va causer des problèmes à Passepartout dans le prochain chapitre.**

C	P	D	O	M	E	S	T	I	Q	U	E
O	C	M	U	S	I	C	I	E	N	R	C
M	U	E	T	E	C	U	Y	E	R	R	H
M	I	A	C	R	O	B	A	T	E	P	A
E	S	E	S	J	N	I	M	A	R	I	N
R	I	N	D	U	S	T	R	I	E	L	T
Ç	N	N	D	G	U	I	D	E	O	O	E
A	I	U	S	E	L	V	A	L	E	T	U
N	E	D	E	T	E	C	I	I	V	E	R
T	R	P	R	O	F	E	S	S	E	U	R

À cause de sa curiosité Passepartout va avoir des problèmes avec des _ _ _ _ _ _ _ _ _ _ _ _ _ .

Chapitre III

La mésaventure de Passepartout

▶ 3 Le lendemain du départ de Suez, le 10 octobre. Passepartout rencontra Fix et leurs conversations reprirent.

– Vous connaissez l'Inde monsieur Fix ? demanda Passepartout.

– Mais…oui…, répondit Fix. C'est un pays curieux avec ses mosquées, ses minarets, ses temples, ses fakirs, ses pagodes, ses tigres, ses serpents et ses danseuses sacrées. Aurez-vous le temps de visiter le pays ?

– Je l'espère, répondit Passepartout. Toute cette gymnastique cessera à Bombay, vous verrez.

– Comment va monsieur Fogg ? interrogea Fix. Je ne le vois jamais sur le pont. Peut-être qu'il cache une mission secrète.

– Il va très bien monsieur, dit Passepartout. Écoutez, je l'avoue, cela ne m'intéresse pas.

Le paquebot avançait et le port de Moka apparaissait dans sa ceinture de murailles. Au loin, on voyait les champs de caféiers★. La ville ressemblait à une énorme demi-tasse. La nuit suivante, le *Mongolia* franchit le détroit Bab-el-Mandeb, « la porte des larmes ». Le lendemain ils firent escale quatre heures à Steamer Point pour se réapprovisionner de combustible.

Le 15 octobre, à Aden, Mr. Fogg et son domestique descendirent à terre pour faire viser le passeport. Fogg remonta à bord et Passepartout flâna★. À six heures du soir, le *Mongolia* repartit et le 20 octobre il arriva

---

caféiers : plantes qui donnent du café   **flâna :** se promena

à Bombay deux jours avant la date prévue. Fogg inscrivit son itinéraire dans son carnet.

Le train de Calcutta partait à 22h précises et Fogg demanda à Passepartout d'aller faire quelques courses pendant que lui-même allait vers le bureau des passeports. Fogg ne visitait rien, ni l'hôtel de ville, ni la magnifique bibliothèque, ni les forts, ni les bazars, ni les mosquées... Non ! Rien. En sortant du bureau des passeports il alla dîner à la gare.

Fix aussi avait débarqué et couru chez le directeur de la police de Bombay. Aucun mandat d'arrêt n'était arrivé et Fix resta fort déconcerté*. Il décida de ne pas perdre de vue son succès mais Fogg n'avait aucune intention de séjourner à Bombay !

Par contre Passepartout se promenait dans la ville au milieu d'une grande foule qui célébrait une sorte de carnaval religieux avec processions et divertissements. Malheureusement, sa curiosité allait risquer de compromettre le voyage de son maître. Passant devant l'admirable pagode de Malebar Hill, un édifice religieux bouddhique, il décida d'entrer pour la visiter.

Il ignorait deux choses : d'abord que l'entrée de certaines pagodes indoues est interdite aux chrétiens, et ensuite que les croyants eux-mêmes ne peuvent y entrer sans avoir laissé leurs chaussures à la porte.

Passepartout entra avec ses chaussures et trois prêtres se précipitèrent sur lui pour les lui arracher. Pendant qu'ils le rouaient* de coups et hurlaient, le Français réussit à se relever, renversa ses adversaires et s'élança hors de la pagode.

Quelques minutes avant le départ du train, Passepartout arrivait à la gare sans chapeau, pieds nus, ayant perdu ses courses dans la bagarre. Quand il rejoignit son maître, il lui raconta sa mésaventure.

---

déconcerté : surpris   rouaient de coups : frappaient, battaient

– J'espère que cela ne vous arrivera plus, répondit simplement Phileas Fogg en s'asseyant dans le wagon.

Fix allait monter dans un autre wagon mais, ayant tout entendu, il modifia son projet de départ.

– Non, je reste, se dit-il. Un délit commis sur le territoire indien… Je tiens mon homme !

La locomotive lança un sifflet vigoureux et le train disparut dans la nuit, à l'heure prévue. Passepartout occupait le même compartiment que son maître et un troisième voyageur occupait la place opposée. C'était le brigadier général sir Francis Cromarty, l'un des joueurs de whist pendant la traversée de Suez à Bombay. Phileas Fogg lui avait raconté son projet de voyage autour du monde. Le brigadier avait trouvé ce pari une excentricité sans but utile.

Pendant que le train s'engageait dans les montagnes, les deux hommes échangeaient quelques paroles au sujet de la mésaventure de Passepartout qui dormait entortillé* dans une couverture.

– Le gouvernement anglais est très sévère pour ce genre de délit, dit sir Francis Cromatry. Il tient à ce que l'on respecte les coutumes religieuses des Indous, et si votre domestique avait été fait prisonnier…

– Il aurait été condamné et il aurait subi sa peine, continua Fogg, puis il serait revenu en Europe. Je ne vois pas en quoi cela aurait pu me retarder !

La conversation tomba. Le train arriva à Burhampour et Passepartout s'y acheta une paire de babouches. Il est opportun de raconter quelles pensées il avait en tête : jusqu'à son arrivée à Bombay, il croyait que le voyage se terminerait là. Mais maintenant que le train filait à toute vapeur à travers l'Inde, il changeait d'avis, prenait au

---

entortillé : enroulé, enveloppé

sérieux les projets de son maître et croyait au pari. Il apparaissait plus inquiet que lui et comptait les jours.

Au hameau de Kolby, le conducteur du train fit descendre les voyageurs. Le chemin de fer n'étant pas terminé il fallait continuer le voyage autrement pour arriver à Allahabad et prendre ainsi le train pour Calcutta. Sir Francis Comatry était furieux et Passepartout aurait volontiers assommé* le conducteur.

– Monsieur Fogg, il s'agit d'un retard préjudiciable* à vos intérêts, dit sir Francis.

– Non sir Francis, cela était prévu. Je savais que tôt ou tard un obstacle surgirait sur la route. Rien n'est compromis, j'ai deux jours d'avance à sacrifier. Un bateau part de Calcutta pour Hong-Kong le 25 à midi. Nous arriverons à temps.

La plupart des voyageurs connaissaient cette interruption de la voie et en descendant du train ils s'étaient jetés sur des véhicules de toutes sortes : des charrettes traînées par des zébus, des chars de voyage qui ressemblaient à des pagodes, des poneys… Mr. Fogg et sir Francis ne trouvèrent rien mais Passepartout trouva la solution.

– Monsieur, je crois que j'ai trouvé un moyen de transport, dit-il à Fogg.

– Lequel ? répondit son maître.

– Un Indien qui vit près d'ici possède un éléphant qui s'appelle Kiouni, ajouta Passepartout.

– Allons voir l'éléphant, dit Fogg.

Mais les éléphants sont chers en Inde et lorsque Mr. Fogg demanda à l'Indien s'il voulait lui louer le sien, l'Indien refusa net. Fogg insistait en offrant un prix exorbitant* mais l'Indien

---

assommé : lui aurait volontiers donné un coup violent sur la tête

préjudiciable : qui est susceptible de porter préjudice

exorbitant : énorme

ne se laissait pas tenter. La somme importante faisait bondir*
Passepartout.

Fogg, sans s'agiter en aucune façon, proposa alors à l'Indien de
lui acheter son éléphant en lui offrant d'abord mille livres mais ce
dernier ne voulait pas vendre ! Finalement, à deux mille livres, l'Indien
accepta. Passepartout était pâle d'émotion.

L'affaire conclue, il ne restait qu'à trouver un guide. Un jeune
Parsi, un indien originaire de la Perse, offrit ses services. Mr. Fogg
lui promit une belle somme d'argent. On apporta l'éléphant et on
l'équipa tout de suite. Le Parsi couvrit le dos de l'éléphant et mit de
chaque côté deux cacolets* peu confortables, c'est-à-dire deux espèces
de sièges.

Phileas Fogg sortit des billets de banque de son sac pour payer
l'Indien… on aurait dit qu'il arrachait les entrailles* de Passepartout !
Puis il proposa à sir Francis Cromatry de l'accompagner à la gare
d'Allahabad. Le brigadier accepta et on alla acheter des vivres à Kolby.
Sir Francis et Phileas Fogg s'assirent dans les cacolets et Passepartout
se mit à califourchon entre les deux. Le Parsi monta sur le cou de
l'éléphant qui s'enfonça dans la forêt épaisse. ◼

---

bondir : sauter
cacolets : sièges latéraux

entrailles : ventre

ACTIVITÉS DE POST-LECTURE

Compréhension

1 **Remets les phrases dans le bon ordre pour reconstruire la mésaventure de Passepartout.**

☐ **a** Dès qu'ils le voient, des prêtres se précipitent sur lui pour les lui enlever et le rouer de coups.

☐ **b** Finalement Passepartout s'entortille dans une couverture et s'endort.

☐ **c** Et il se retrouve au beau milieu d'une procession religieuse qui ressemble à un carnaval.

☐ **d** Il arrive à la gare juste avant le départ du train, pieds nus et sans chapeau.

☑ **e** Passepartout va se promener dans Bombay pendant que son maître dîne à la gare.

☐ **f** Il ne sait pas qu'il a risqué la prison à cause de son manque de respect pour les traditions indoues.

☐ **g** De plus, il y entre avec ses chaussures ne sachant pas qu'il faut absolument les laisser à la porte.

☐ **h** Une fois dans le compartiment, il raconte à Fogg ce qui vient de lui arriver.

☐ **i** Cependant il ignore que les chrétiens n'ont pas le droit d'entrer dans les pagodes indoues.

☐ **j** Passepartout hurle, se défend et réussit quand même à s'échapper de la pagode.

☐ **k** Passant devant la pagode de Malebar Hill, il décide d'entrer pour la visiter.

2 **Associe les villes aux détails qui les concernent.**

1 ☑C Un port indien entouré de murailles.
2 ☐ On l'appelle la Porte des larmes.
3 ☐ Passepartout y achète des babouches.
4 ☐ Le conducteur du train y fait descendre les voyageurs.
5 ☐ Il faut trouver un autre moyen de transport pour y aller.
6 ☐ Ils y arriveront à dos d'éléphant.
7 ☐ Ils prendront un bateau à Calcutta pour y arriver.

a   Honk-Kong
b   Hameau de Kolby
c   Moka
d   Calcutta

e   Burhampour
f   Le détroit Bab-el-Mandeb
g   Allahabad

Vocabulaire

3 **Lis et complète avec les mots manquants.**

> Parsi • caféier • babouches • minaret • ~~mosquée~~ •
> fakir • pagode • cacolet

Un lieu de culte musulman : .... *la mosquée* ....

1 Du haut de cette tour le Muezzin appelle les musulmans à la prière : ....

2 L'édifice religieux consacré au culte de Bouddha : ....

3 Pantoufles portées dans les pays musulmans : ....

4 Un indien originaire de la Perse : ....

5 Double siège sur le dos d'un éléphant : ....

6 Arbuste cultivé pour ses fruits : ....

7 Membre d'une confrérie mystique musulmane ou indoue : ....

4 **Lis et résous les anagrammes.**

L'inde est un pays ICERXUU ...*CURIEUX*.. avec ses pagodes et ses mosquées.

1 Fix est CCODTNREÉÉ .... car son mandat n'est pas encore arrivé.

2 La locomotive lance un coup de sifflet IUGORVEXU ....

3 Cromarty trouve le projet de Fogg IQEXNTRUCEE .... et NIEUTLI ....

4 Si Passepartout avait été fait IPNSORNEIR .... , il aurait subi sa peine.

5 Passepartout est NUQTIEI .... et compte les jours.

6 L'éléphant est EHRC .... en Inde, son prix est ETRIOTBAXN .... !

7 Les cacolets ne sont pas des sièges AOCORTBFNESL ....

8 La forêt indienne est très PEISÉAS ....

Grammaire

5 **Transforme les phrases en remplaçant les parties soulignées par un pronom possessif.**

Fogg descend à terre pour faire viser <u>son passeport</u>.
Fogg descend à terre pour faire viser le sien. ....

1 Monsieur, j'ai préparé <u>votre malle</u>.

....

2 Je mets à jour <u>mon carnet de notes</u>.

....

3 Nous devons enlever <u>nos chaussures</u> pour entrer.

....

4 <u>Mon mandat d'arrêt</u> n'est pas encore arrivé.

....

5 Ils ont fait <u>leurs courses</u> dans le centre de Bombay.

....

6 <u>Ses coutumes religieuses</u> sont protégées par le gouvernement.

....

6 **Remplace le futur proche par le futur dans le passé.**

Je savais qu'un obstacle allait surgir.
Je savais qu'un obstacle surgirait. ....

1 Je croyais que Passepartout allait être fait prisonnier.

....

2 Fogg avait raconté à Cromatry qu'il allait faire un voyage.

....

3 Ils étaient sûrs qu'ils allaient avoir le temps de visiter.

....

4 Passepartout imaginait que Fogg allait rater son train pour Hong-Kong.

....

5 Il était persuadé que nous n'allions pas prendre au sérieux ses projets.

....

6 Vous étiez curieux de savoir comment ils allaient s'asseoir sur l'éléphant.

....

Production orale

7 Relis le passage concernant l'éléphant Kiouni entre Fogg et le Parsi et improvise leur dialogue avec un camarade de classe : ils n'arrivent pas à se mettre d'accord sur le prix tout de suite.

ACTIVITÉ DE PRÉ-LECTURE

8 Pour savoir à quelle tradition indienne les voyageurs vont participer, lis les définitions et complète la grille.

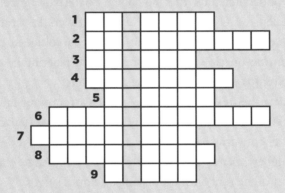

1 Celle de Fogg pourrait être secrète.

2 Elles sont tirées par des zébus.

3 Elle est prévue pour le réapprovisionnement.

4 Reptiles sans pattes au corps allongé.

5 Gros félins typiques de l'Asie.

6 Être assis une jambe de part et d'autre.

7 L'entrée de la pagode leur est interdite.

8 Synonyme de moyens de transports.

9 Synonyme de crime.

Chapitre IV

L'enlèvement

Le guide, pour aller plus vite, ne suivait pas la voie ferrée dont les travaux étaient en cours mais il coupait à travers la forêt. À cause des secousses, Passepartout semblait faire de la voltige sur le dos de Kiouni, comme un clown sur un tremplin. Il plaisantait, riait et lui donnait de temps en temps un morceau de sucre.

Après deux heures de marche, le guide s'arrêta pour faire reposer l'éléphant et sir Francis Cromarty en fut très heureux. Par contre Mr. Fogg était encore frais comme une rose. À midi, le guide donna le signal du départ. Après avoir quitté la forêt, le paysage était devenu plus aride et on ne rencontrait plus que quelques singes.

Passepartout se demandait ce que son maître ferait de l'éléphant une fois arrivés à la gare. L'emmènerait-il ? Impossible ! Lui rendrait-il la liberté ? Les voyageurs firent halte dans un bungalow en ruine. La nuit était froide et le Parsi alluma un feu de branches sèches. Ils mangèrent et s'endormirent presque aussitôt. On entendait au loin les rugissements des guépards et des panthères et les cris des singes qui troublaient le silence.

On se remit en marche. Le guide espérait arriver à la gare d'Allahabad le soir même. Mais soudain, l'éléphant s'arrêta. Que se passait-il donc ?

Quelques instants après on entendit des voix humaines et des instruments de cuivre. Le Parsi sauta à terre pour cacher l'éléphant dans un taillis★.

– Une procession de brahmanes, des prêtres indous. Ils viennent par ici, évitons d'être vus, dit le Parsi.

Il recommanda aux voyageurs de ne pas faire de bruit. Des chants monotones se mêlaient au son des tambours, des tam-tams et des cymbales. La tête de la procession apparut. En première ligne avançaient les prêtres qui étaient entourés d'hommes, de femmes et d'enfants qui chantaient un chant funèbre. Derrière eux, sur un char, il y avait une statue très laide traînée par des zébus. Cette statue avait quatre bras, le corps rouge sombre, les yeux dans le vide, les cheveux emmêlés, la langue pendante, les lèvres teintes de henné. Elle portait un collier de têtes de mort et une ceinture de mains coupées.

– C'est la déesse Kâli, murmura sir Francis, la déesse de l'amour et de la mort.

Autour de la statue s'agitaient de vieux fakirs couverts d'incisions d'où sortait le sang goutte à goutte. Derrière eux, quelques brahmanes en costume oriental traînaient une femme qui tenait à peine debout. Cette femme était jeune, blanche comme une européenne. Sa tête, son cou, ses épaules, ses oreilles, ses bras, ses mains, ses orteils étaient surchargés de bijoux, colliers, bracelets, boucles et bagues. Derrière elle, des gardes armés de sabres portaient un cadavre sur un palanquin★. C'était le corps d'un vieillard, habillé en rajah et entouré de ses armes magnifiques de prince indien. Enfin des musiciens et des fanatiques fermaient le cortège.

– Un sutty ! dit sir Francis.

---

taillis : buissons, arbustes   palanquin : espèce de lit soulevé par des porteurs

Le Parsi confirma et mit un doigt sur les lèvres. La longue procession disparut dans la forêt en laissant derrière elle un profond silence.

– Qu'est-ce qu'un sutty ? demanda Fogg.

– C'est un sacrifice humain, répondit sir Francis, un sacrifice volontaire. Cette femme sera brûlée demain à l'aube.

– Et ce cadavre ? demanda Fogg.

– C'est celui de son mari ! dit sir Francis.

– Comment ! reprit Fogg. Ces coutumes barbares existent encore et les Anglais n'ont pas pu les détruire ?

– Pas partout, répondit sir Francis.

– La malheureuse ! s'exclama Passepartout, brûlée vive !

Sir Francis expliqua que si elle n'était pas brûlée, on lui raserait les cheveux, on la nourrirait de quelques poignées de riz et on la repousserait*. On la considérerait une créature immonde et elle mourrait. Pour éviter cette existence, il valait mieux être brûlée avec le corps de son mari.

– Non, ce sacrifice n'est pas volontaire, dit le Parsi. Tout le monde le sait ici. Cette femme est droguée avec de l'opium. On la conduit à la pagode de Pillaji. Elle va y passer la nuit en attendant le sacrifice qui aura lieu demain matin au lever du soleil.

Après avoir prononcé ces mots, le guide fit sortir l'éléphant du taillis. Mais Mr. Fogg proposa à sir Francis de sauver la jeune femme. Il avait encore douze heures d'avance, il avait le temps. Mr. Fogg allait risquer sa vie et son compagnon de voyage aussi. Passepartout était prêt et l'idée de son maître l'exaltait. Mais le guide était-il d'accord ?

– Messieurs, dit le guide, je suis Parsi comme cette femme. Mais

---

on la repousserait : on ne voudrait plus d'elle

sachez que nous risquons des supplices horribles. Il vaut mieux attendre la nuit pour agir.

Le guide donna alors quelques détails sur la victime. C'était une Indienne d'une célèbre beauté, fille de riches commerçants de Bombay. Elle avait reçu une éducation anglaise et elle s'appelait Aouda. Orpheline*, on l'avait obligée de se marier avec un vieux rajah. Trois mois après, son mari était mort et elle s'était plusieurs fois échappée mais les parents de son mari voulaient sa mort et l'avaient rattrapée.

On décida que le guide dirigerait l'éléphant vers la pagode de Pillaji où la femme était emprisonnée. L'enlèvement devait s'opérer dans la nuit. Ils attendirent que les Indiens s'endorment mais des gardes armés de sabres surveillaient l'entrée de la pagode. Vers minuit ils décidèrent donc de faire une ouverture derrière la pagode. Le travail avançait quand ils entendirent un cri à l'intérieur. Ils se cachèrent de nouveau dans le bois. Des gardes vinrent s'installer et il fut impossible de terminer le travail. Comment faire pour sauver Aouda ?

— Nous n'avons plus qu'à partir, dirent sir Francis et le Parsi.

— Attendez, répondit Fogg, peut-être que demain nous réussirons à la libérer au moment du supplice.

Une vraie folie ! À l'aube, les tam-tams et les chants recommencèrent. Les portes de la pagode s'ouvrirent. Les fakirs escortaient la jeune femme complètement droguée. Phileas Fogg et ses compagnons se mêlèrent à la foule et la suivirent. Arrivés au bord du bûcher où était couché le rajah mort, Aouda se coucha à côté de lui. On alluma le feu. On entendit un cri de terreur.

Toute la foule était épouvantée et allongée par terre, le vieux rajah n'était pas mort ! On le vit se redresser d'un coup, comme un fantôme.

---

orpheline : sans père ni mère

Il soulevait la femme dans ses bras et descendait du bûcher dans la fumée. Les fakirs, les gardes, les prêtres eurent très peur. Ils n'osaient pas regarder ce prodige !

La victime inanimée passa dans les bras de Mr. Fogg et de sir Francis qui étaient restés debout.

– Filons ! dit le ressuscité.

C'était Passepartout lui-même qui s'était glissé vers le bûcher au milieu de la fumée épaisse. Profitant de l'obscurité encore profonde, il avait arraché la jeune femme à la mort.

Un instant après, ils disparaissaient tous les quatre dans le bois et l'éléphant les emportait rapidement. Mais les cris leur firent comprendre que la ruse* de Passepartout avait été découverte. Sur le bûcher enflammé on réussissait à voir la forme du corps du rajah. Les prêtres avaient compris qu'il s'agissait d'un enlèvement. Aussitôt ils s'étaient précipités dans la forêt et les gardes les avaient suivis.... mais les voyageurs étaient désormais hors de la portée des balles* et des flèches.

Une heure après, Passepartout, ancien gymnaste, ex-sergent de pompiers, riait encore de son succès : il avait été le veuf d'une charmante jeune femme, un vieux rajah embaumé*.

---

ruse : stratagème
balles : projectiles

embaumé : cadavre rempli de substance pour le conserver

Compréhension

1 **Choisis la bonne réponse.**

Le Parsi coupe à travers la forêt parce que...
a ☐ il y a des travaux en cours
b ☑ pour aller plus vite
c ☐ il s'est perdu

1 **Dans la nuit ils entendent le bruit...**
a ☐ des guépards, des panthères et des singes
b ☐ des voix humaines
c ☐ de l'éléphant dans les feuilles sèches

2 **La procession chante...**
a ☐ des chants très rythmés et joyeux
b ☐ le chant de la déesse Kali
c ☐ des chants funèbres monotones

3 **Pendant le sutty la jeune veuve va être...**
a ☐ rasée
b ☐ repoussée
c ☐ brûlée vive

4 **Le personnage qui propose de sauver la jeune fille est...**
a ☐ Sir Francis
b ☐ Phileas Fogg
c ☐ Passepartout

5 **Le sacrifice aura lieu...**
a ☐ le lendemain matin
b ☐ dans la nuit
c ☐ dans deux jours

6 **Qui est la victime du sutty ?**
a ☐ la fille de riches commerçants de Hong-Kong
b ☐ la fille d'un vieux Rajah
c ☐ la fille de riches commerçants de Bombay

2 **Reconstruis la célébration du sutty en numérotant les différentes phases.**

☐ **a** On emmène la jeune femme droguée jusqu'au bûcher.

☐ **b** Des gardes armés de sabres portent le cadavre d'un prince indien sur un palanquin.

☐ **c** La statue de la déesse de l'amour et de la mort est traînée par des zébus.

☐ **d** On enferme la jeune femme à la pagode de Pillaji pour la nuit.

☐ **e** Les prêtres avancent en tête entourés de femmes et d'enfants.

☐ **f** Des brahmanes traînent une femme qui tient à peine debout.

☐ **g** Aouda se couche à côté de son mari mort et on allume le feu.

☐ **h** Des musiciens et des fanatiques ferment le cortège.

☐ **i** De vieux fakirs couverts d'incisions d'où sort le sang goutte à goutte marchent.

Vocabulaire

3 **Complète avec les mots manquants.**

> travail • enlèvement • fantôme • coutume • créature • éléphant •
> riz • gardes • ~~corps~~ • vie • bûcher • fumée • cheveux

La tradition veut que la veuve soit brûlée vive avec le ....*corps*..........
de son mari pour ne pas être considérée une (1) ....
immonde. Sans ce sacrifice volontaire, elle risque qu'on lui rase
les (2) ...., d'être nourrie avec quelques poignées de
(3) .... et d'être repoussée. Pour éviter cette (4) ....
barbare, Fogg a douze heures pour organiser l'(5) ....
d'Aouda avec ses compagnons, mais ils risquent leur (6) ....
Pour la libérer, ils font une ouverture dans la pagode mais des
(7) .... les empêchent de terminer le (8) .... et ils
doivent se cacher. Au moment du sacrifice, Passepartout se glisse
sur le (9) .... enflammé et souleve la jeune femme dans la
(10) .... La foule épouvantée pense que le vieux rajah est
devenu un (11) .... et s'allonge pas terre.
Un instant après les quatre compagnons s'enfuient avec la jeune
femme sur leur (12) ....

Compréhension

4 Fais une recherche lexicale dans le texte et complète la grille.

Bijoux	Instruments de musique	Armes	Eléments naturels	Animaux

Grammaire

5 Transforme les phrases suivantes au passé simple.

Le guide ne suivait pas la voie ferrée mais coupait à travers la forêt.
Le guide ne suivit pas la voie ferrée mais coupa à travers la forêt.

1 Passepartout faisait de la voltige sur le dos de Kiouni et riait beaucoup.

....

2 Le paysage devenait plus aride et on ne rencontrait que quelques singes.

....

3 J'entendais le rugissement des guépards et les cris des singes troublaient le silence.

....

4 Des chants monotones se mêlaient au son des tambours et la procession avançait.

....

5 Vous droguiez la veuve et vous la conduisiez à la pagode où elle devait passer la nuit.

....

6 Nous nous glissions vers le bûcher et nous arrachions la jeune femme à la mort.

....

Production orale

6 Fais une petite recherche sur Internet sur la pratique indienne du sutty, prépare un diaporama et commente-le en classe.

ACTIVITÉS DE PRÉ-LECTURE

7 Trouve 16 mots du lexique corporel dans la grille et associe les lettres restantes pour connaître l'indice qui va démontrer que Passepartout a bel et bien violé un lieu sacré à Bombay.

S	E	S	L	A	N	G	U	E	C
O	C	D	C	O	U	M	S	O	H
R	O	O	Y	Œ	P	A	U	L	E
T	R	S	E	I	I	I	T	B	V
E	P	A	U	L	E	N	E	R	E
I	S	I	X	E	D	S	T	A	U
L	R	S	L	E	V	R	E	S	X
O	R	E	I	L	L	E	N	E	Z

On a retrouvé _ _ _   _ _ _ _ _ _ _ _ .

8 A ton avis omment Passepartout interprète-il la présence de Fix où qu'ils aillent ? Fais ton pronostic.

a ☐ C'est un espion lancé sur les traces de Fogg par ses collègues du Reform Club.

b ☐ C'est un policier qui veut arrter son maitre mais il ignore pourquoi.

c ☐ C'est un passager curieux qui ne s'occupe pas de ses affaires.

Chapitre V

Le tribunal de Calcutta

▶ 4   Mrs. Aouda n'avait pas encore repris conscience, elle dormait dans le cacolet pendant que le Parsi conduisait l'éléphant vers la gare d'Allahabad. Une fois arrivés, Passepartout alla lui acheter ce dont elle avait besoin. Il n'était pas question de la laisser retomber entre les mains de ses bourreaux*. Restait à savoir ce qu'on allait faire de l'éléphant ! Fogg décida de l'offrir au guide qui avait été si serviable* et dévoué.

– C'est une fortune que vous me donnez ! s'écria le guide.

– Accepte, guide, répondit Fogg. C'est moi qui te serai encore débiteur.

– Prends, ami ! dit Passepartout. Kioumi est un brave et courageux animal !

Le guide s'en alla avec l'éléphant et les voyageurs partirent pour Calcutta. La jeune femme se réveilla. Ses beaux yeux reprirent toute leur douceur indienne. Sir Francis lui raconta ce qui s'était passé. Mrs. Aouda remercia les voyageurs, les larmes aux yeux. Elle accepta d'aller à Hong-Kong où habitait un de ses parents. À Bénarès sir Francis Cromatry salua Fogg et descendit du train étant arrivé à destination. Le train repartit à toute vitesse et arriva à Calcutta le 25 octobre. Le paquebot pour Hong-Kong partait à midi. À la gare de Calcutta un policeman les attendait.

---

bourreaux : persécuteurs   **serviable :** qui rend service

— Monsieur Phileas Fogg ? demanda le policeman.

— C'est moi, répondit Fogg.

— Cet homme est votre domestique ?

— Oui.

— Veuillez me suivre tous les deux. Cette jeune dame peut vous accompagner.

On les conduisit vers une sorte de voiture à quatre roues et à quatre places tirée par deux chevaux. Le trajet dura environ 20 minutes. Puis on les enferma dans une chambre aux fenêtres grillées.

— Vous allez bientôt comparaître devant le juge, dit le policeman en fermant la porte de la chambre.

Était-ce pour avoir sauvé Mrs. Aouda du sutty qu'ils étaient prisonniers ? Non, ils étaient accusés de sacrilège pour avoir violé un lieu sacré à Bombay. L'agent Fix avait réussi à pousser les prêtres de Malebar Hill à porter plainte contre eux. Ils se retrouvèrent donc devant un tribunal anglais qui était très sévère pour ce genre de délit.

— Comme preuve, dit le juge, nous avons cette paire de souliers !

— Mes souliers ! s'écria Passepartout.

— Donc vous avouez ? continua le juge. Je vous condamne à quinze jours de prison et à une amende* de 300 livres. Et vous Mr. Fogg, puisqu'il s'agit de votre domestique, je vous condamne à huit jours de prison et 50 livres d'amende.

Fix, caché dans un coin, était très satisfait. Cela aurait donné le temps au mandat d'arrêt d'arriver. Mais Fogg préféra payer la caution et s'embarquer sur le *Rangoon* suscitant la rage de l'inspecteur.

Le *Rangoon* aurait employé de onze à douze jours pour arriver à Hong-Kong. Fogg bavardait avec Mrs. Aouda sans laisser apparaître,

---

amende : somme à payer, sanction

comme toujours, aucune émotion. Passepartout avait parlé du pari à la femme qui avait souri à l'idée d'un tel projet. Ses yeux étaient aussi limpides que les lacs sacrés de l'Himalaya mais Fogg ne semblait pas du genre à se jeter dans ce lac.

L'inspecteur Fix décida dans un premier moment de voyager en incognito pour mieux surveiller Fogg et ne pas éveiller les soupçons* de Passepartout. Mais à la fin, il changea d'avis, il voulait savoir qui était cette femme. Intrigué, il faisait mille suppositions : Fogg l'a-t-il rencontrée par hasard ? Le but de son voyage était-il de la rejoindre ? Ou l'avait-il enlevée ? Oui, c'est cela, il l'avait enlevée !

Pour en savoir plus, il devait absolument faire parler Passepartout. Il monta donc sur le pont du bateau où Passepartout se promenait.

– Vous, sur le *Rangoon* ! s'exclama Fix en faisant semblant d'être surpris.

– Monsieur Fix ! Je vous laisse à Bombay et je vous retrouve sur la route de Hong-Kong ! cria Passepartout.

– Comment va votre maître ? demanda Fix.

– Très bien ! Et il est ponctuel sur son itinéraire. Nous avons aussi une dame avec nous, dit Passepartout qui se mit à raconter toute l'histoire. Nous allons la remettre à l'un de ses parents, un riche négociant de Hong-Kong.

Passepartout interpréta en lui-même la présence de Fix sur le bateau : c'était un espion lancé sur les traces de Fogg par ses collègues du Reform Club pour vérifier que le voyage suivait l'itinéraire prévu.

– C'est évident ! C'est évident ! se répétait le jeune garçon. C'est un espion que ces gentlemen ont mis sur nos traces ! Voilà qui n'est pas digne ! Ah ! Messieurs du Reform Club, cela vous coûtera cher !

---

soupçons : doutes

LE RANG

Passepartout, content de sa découverte, décida de ne rien dire à son maître pour ne pas le blesser. Mais il promit de se moquer* de Fix, à mots couverts et sans se compromettre.

Le mercredi 30 octobre, le *Rangoon* entrait dans le détroit de Malacca et le lendemain, à 4h, il arrivait à Singapour avec une demi-journée d'avance. Fogg écrivit cette avance et descendit à terre avec Mrs Aouda qui voulait se promener pendant quelques heures. Fix, à qui toute action de Fogg semblait suspecte, les suivit sans se faire voir. Quant à Passepartout, il alla faire des courses.

Après avoir parcouru la campagne pendant deux heures, Mrs. Aouda et son compagnon rentrèrent dans la ville et à 10h ils revenaient au paquebot, avec l'inspecteur qui les suivait toujours. Passepartout les attendait sur le pont du *Rangoon*. Il avait acheté des mangoustes* et des pommes qu'il offrit à Mrs. Aouda qui le remercia avec beaucoup de grâce.

À 11h, le *Rangoon* larguait* les amarres. Fogg n'avait que six jours pour arriver à Hong-Kong et prendre le bateau qui devait partir le 6 novembre pour Yokohama, l'un des principaux ports du Japon.

Le *Rangoon* était fort chargé. De nombreux passagers s'étaient embarqués à Singapour, des Indous, des Chinois, des Malais et des Portugais…

La mer était grosse, le vent soufflait et la plupart des passagers furent malades. À cause du mauvais temps, on perdit du temps mais cela ne semblait pas déranger Fogg tandis que Passepartout était très irrité.

– Mais vous êtes donc bien pressé d'arriver à Hong-Kong ? lui demanda un jour le détective.

se moquer : rire   larguait : lâchait
mangousters : petit mammifère

– Très pressé ! répondit Passepartout.

– Vous pensez que Mr. Fogg est pressé de prendre le paquebot de Yokohama ? insista Fix.

– Très pressé ! s'exclama Passepartout.

– Donc maintenant vous croyez à ce singulier voyage autour du monde ? demanda Fix.

– Absolument ! Et vous monsieur Fix ? demanda Passepartout.

– Moi ? Je n'y crois pas ! répondit Fix.

Passepartout fit un clin d'œil à Fix et le détective pensa avoir été découvert. Mais comment Passepartout avait-il fait pour connaître son secret ? Un jour, c'était plus fort que lui, Passepartout demanda à Fix d'un air malicieux si une fois arrivés à Hong-Kong il y resterait ou il leur ferait encore compagnie jusqu'en Amérique. Puis il lui demanda si son métier lui rapportait beaucoup d'argent. Ces conversations inquiétaient* Fix. Il était évident que le jeune garçon avait deviné qui il était et pourquoi il suivait Fogg. Mais en avait-il parlé avec son maître ? Était-il son complice dans l'affaire de l'argent volé ?

Quand le calme revint dans son cerveau, il décida d'agir avec Passepartout. S'il ne réussissait pas à arrêter Fogg à Hong-Kong, il lui dirait tout.

Phileas Fogg était complètement indifférent. Il faisait son tour du monde sans s'inquiéter de ce qui se passait autour de lui. Le charme de Mrs. Aouda, à la grande surprise de Passepartout, n'avait aucun effet sur lui. Fogg n'était décidément pas amoureux ! Il ne s'inquiétait même pas des chances de réussite de son voyage contrairement à son domestique !

___

inquiétaient : préoccupaient

Compréhension

1 **Réponds Vrai (V) ou Faux (F) aux affirmations suivantes.**

	V	F
Fogg emmène Mrs. Aouda à Allahabad pour la redonner à ses bourreaux.	☐	☑
1 Fogg offre l'éléphant au Parsi pour le remercier de ses services.	☐	☐
2 Un policeman attend les voyageurs à la gare d'Allahabad.	☐	☐
3 Des prêtres les accusent d'avoir violé la tradition du sutty.	☐	☐
4 Fogg paie la caution et tous s'embarquent pour Hong-Kong.	☐	☐
5 Passepartout pense que Fix est un espion des membres du Reform club.	☐	☐
6 Passepartout parle de ses suspects à son maître.	☐	☐
7 Le *Rangoon* prend du retard à cause du mauvais temps.	☐	☐
8 Fogg est visiblement tombé amoureux de Mrs. Aouda.	☐	☐

2 **Qui fait quoi ? Lis et complète avec le sujet qui convient.**

Passepartout est allé acheter ce dont Mrs. Aouda avait besoin.

1 .... a raconté à la jeune femme ce qui est arrivé dans la forêt.

2 .... est descendu du train à Bénarès.

3 .... a poussé les prêtres de Malebar Hill à porter plainte.

4 .... a été condamné à 15 jours de prison et à une amende de 300 livres.

5 .... a voulu se promener quelques heures à Singapour.

6 .... a offert des mangoustes et des pommes à Mrs Aouda.

7 .... ne s'est pas inquiété de ce qui se passait autour de lui.

Vocabulaire

3 Complète le texte avec les mots manquants.

> preuves • ~~suivre~~ • plainte • mandat • délit • prison •
> juge • comparaître • amende • caution

Un policeman invite les voyageurs à le ......*suivre*...... et les enferme
dans une chambre aux fenêtres grillées. Ils vont devoir
(1) .... devant le juge car ils sont accusés d'avoir violé un
lieu sacré. Fix a poussé les prêtres de Malebar Hill à porter
(2) .... contre eux et le gouvernement anglais est très
sévère pour ce genre de (3) .... : il tient à ce que l'on
respecte les coutumes religieuses des indous. Le (4) ....
a des (5) .... contre Passepartout qui avait en effet
perdu ses souliers dans la fuite. Reconnaissant ses souliers,
Passepartout avoue avoir commis le délit. Il est donc condamné
à quinze jours de (6) .... et à une (7) .... de
300 livres. Mais Fogg paie la (8) .... de son domestique
suscitant la rage de Fix qui pensait avoir le temps nécessaire
pour recevoir son (9) .... d'arrestation.

4 Associe correctement.

1 [e] en incognito
2 [ ] soupçons
3 [ ] suppositions
4 [ ] espion
5 [ ] traces
6 [ ] caution

a hypothèses
b empreintes
c opinion défavorable sur quelqu'un
d agent secret
e quand on cache son identité
f somme d'argent en échange de la liberté

5 Complète les phrases avec les expressions temporelles qui conviennent.

> pendant • sur • toujours • ~~en~~ • il y a • lendemain • matin •
> depuis • autrefois • aujourd'hui • tard • depuis • avant •
> après • avant • quand • puis • tôt • pendant

L'histoire se passe ....*en*........ 1872 à Londres.

1 Fogg n'a pas quitté Londres .... des années.

2 .... vingt-quatre heures, il en passait dix chez lui.

3 Passepartout sait .... se tirer d'affaire.

4 Il a quitté la France .... cinq ans et .... il travaille comme valet de chambre.

5 .... la terre était vaste mais .... on la parcourt plus vite qu' ....

6 Fogg est resté froid .... la signature du procès-verbal.

7 Passepartout sort .... avoir préparer la malle.

8 Fogg fait apposer un visa sur son passeport .... de d'embarquer.

9 Fogg mit à jour son carnet .... se fit servir le déjeuner.

10 .... la mer était calme, les voyageurs dansaient et chantaient.

11 Passepartout a libéré Mrs Aouda le .... de la procession.

12 Passepartout a perdu ses souliers .... la bagarre à la pagode.

13 Fogg savait que .... ou .... un obstacle surgirait sur la route.

14 Le sutty aura lieu le .... au lever du soleil.

Grammaire

6 Transforme le texte au passé composé.

Le guide (s'en alla) (1) .... avec l'éléphant et les voyageurs (partirent) (2) .... pour Calcutta. La jeune femme (se réveilla) (3) .... Ses beaux yeux (reprirent) (4) .... toute leur douceur indienne. Sir Francis lui (raconta) (5) .... ce qui (s'était) passé. Mrs. Aouda (remercia) (6) .... les voyageurs, les larmes aux yeux. Elle (accepta) (7) .... d'aller à Hong-Kong où habitait un de ses parents.

À Bénarès sir Francis Cromatry (salua) (8) .... Fogg et
(descendit) (9) .... du train étant arrivé à destination.
Le train (repartit) (10) .... à toute vitesse et (arriva)
(11) .... à Calcutta le 25 octobre. À la gare de Calcutta un
policeman les (conduisit) (12) .... vers une voiture à quatre
roues. Le trajet (dura) (13) .... environ 20 minutes. Puis on les
(enferma) (14) .... dans une chambre aux fenêtres grillées.

ACTIVITÉ DE PRÉ-LECTURE

Vocabulaire

7 **Lis les définitions et complète la grille pour savoir comment Fix
va faire pour faire parler Passepartout.**

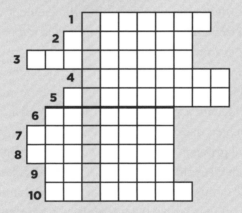

1 Ils portent plainte.
2 Elle est tirée par deux chevaux
3 Fogg et Passepartout en sont accusés.
4 Celui anglais est sévère envers le viol de lieux sacrés.
5 Pas question de laisser Mrs. Aouda retomber entre leurs mains.
6 Fogg n'en laisse apparaître aucune à l'égard de Mrs. Aouda.
7 Fix ne veut pas éveiller ceux de Passepartout.
8 Fogg l'est envers son guide Parsi.
9 Fogg la paie avant de s'embarquer sur le Rangoon.
10 Les yeux de Mrs. Aouda le sont.

Fix a fait boire du _ _ _ _ _ et fumer de l'_ _ _ _ _ à Passepartout.

Chapitre VI

Les révélations du détective Fix

À cause du mauvais temps et de la tempête, la vitesse du paquebot avait ralenti au point d'estimer qu'on arriverait à Hong-Kong avec vingt heures de retard. Philéas Fogg assistait impassible à ce spectacle d'une mer furieuse qui semblait lutter directement contre lui. Il ne ressentait ni impatience, ni ennui comme si la tempête aussi rentrait dans son programme.

Pour Fix, cette tempête était parfaite ! La mer obligerait Fogg à rester quelques jours à Hong-Kong. Il avait le mal de mer mais qu'importe ! Quant à Passepartout, il avait du mal à cacher sa colère ! Tout avait si bien marché jusqu'ici ! Pendant la tempête il ne quittait pas le pont, il grimpait* ici e là en étonnant l'équipage.

Enfin, la mer se calma et le vent redevint favorable. Passepartout se calma avec le temps et le *Rangoon* reprit sa route avec une merveilleuse vitesse. Mais il était impossible de regagner le temps perdu : vingt-quatre heures de retard et le départ pour Yokohama raté. Mr. Fogg demanda au pilote s'il y avait un autre bateau pour Yokohama.

— Le *Carnatic* part demain matin, répondit le pilote.

Passepartout aurait volontiers embrassé le pilote tandis que Fix aurait voulu lui tordre le cou ! Philéas Fogg avait un retard de vingt-quatre heures mais il serait facile de les regagner pendant les vingt-

---

grimpait : montait en s'aidant des pieds et des mains

deux jours de traversée du Pacifique. Le *Rangoon* arriva à Hong-Kong le 7 novembre et les passagers descendirent. Fogg offrit son bras à Mrs. Aouda et ils se dirigèrent vers l'hôtel. Puis, il dit à Mrs. Aouda qu'il allait immédiatement se mettre à la recherche de ce parent chez qui il devait la laisser.

Fogg apprit ainsi que ce parent n'habitait plus la Chine depuis deux ans et qu'après avoir fait fortune il s'était installé en Europe, en Hollande peut-être. Fogg revint à l'hôtel pour informer la jeune femme.

– Que dois-je faire monsieur Fogg ? dit-elle.

– C'est très simple, répondit Fogg, revenez en Europe. Votre présence ne gêne* absolument pas mon programme. Passepartout, allez au *Carnatic* et réservez trois cabines.

Passepartout était très heureux de continuer son voyage en compagnie de la jeune femme. Il se dirigea vers le port. Il marchait au milieu d'une foule de Chinois, de Japonais et d'Européens qui se pressait dans les rues. Il entra chez un barbier chinois pour se faire raser à la chinoise puis se rendit au quai d'embarquement du *Carnatic*. Il aperçut Fix qui marchait de long en large sur le quai. Il avait l'air contrarié… pas de mandat d'arrêt !

– Eh bien, monsieur Fix, vous avez décidé de venir avec nous en Amérique ? demanda Passepartout.

– Oui, répondit Fix les dents serrées.

– Je savais que vous ne pouviez pas vous séparer de nous. Venez réservez votre place ! s'écria Passepartout.

Le soir même à 20h, changement de programme, le *Carnatic* partirait immédiatement. Fix prit une résolution : tout dire à

gêne : dérange

Passepartout ! C'était le seul moyen pour retenir Fogg pendant quelques jours à Hong-Kong, le temps de faire arriver le mandat. Il invita donc Passepartout dans une taverne sur le quai. C'était une vaste salle bien décorée au fond de laquelle il y avait un grand lit où dormaient quelques personnes. Ils comprirent bientôt qu'ils se trouvaient dans une tabagie où les clients venaient fumer de l'opium.

Ils commandèrent deux bouteilles de porto. Passepartout buvait joyeusement et par conséquent bavardait aussi beaucoup. Comme les bouteilles étaient vides, il se leva pour aller prévenir son maître que le *Carnatic* partirait le soir même et non plus le lendemain. Fix le retint.

– Un instant, dit Fix. Je dois vous parler de choses sérieuses. Il s'agit de votre maître !

– Qu'est-ce ce que vous devez me dire ? demanda Passepartout.

– Vous savez qui je suis n'est-ce pas ? dit Fix.

– Bien sûr ! Ces gentlemen dépensent de l'argent inutilement ! s'écria Passepartout.

– Inutilement ? reprit Fix qui ne comprenait pas. Mais vous ne connaissez pas la somme !

– Mais si, je la connais, répondit Passepartout. 20 000 livres !

– 55 000 livres ! reprit Fix. Et si je réussis je gagne une prime de 2 000 livres. Je vous en donnerai 500 si vous m'aidez à retenir Mr. Fogg pendant quelques jours à Hong-Kong.

– Comment ! Ces gentlemen font suivre mon maître et maintenant ils veulent lui créer des obstacles ! Quelle honte ! s'indigna Passepartout. Des collègues, des membres du Reform Club ! Monsieur, mon maître est un honnête homme et il entend gagner son pari loyalement !

– Mais qui croyez-vous que je sois ? demanda Fix.

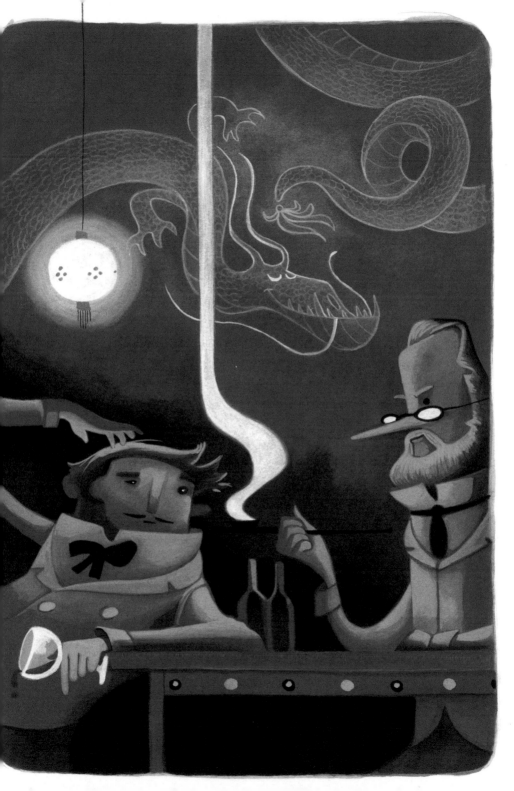

– Un agent des membres du Reform Club qui a la mission de contrôler l'itinéraire de mon maître. Je l'ai compris depuis longtemps mais je n'ai rien dit à mon maître.

L'inspecteur de police passa sa main sur son front. Que faire ? Il était évident que le jeune homme ne savait rien et qu'il n'était donc pas le complice de Fogg.

– Je ne suis pas ce que vous croyez, reprit Fix. Je suis un inspecteur de police chargé d'une mission. Le 28 septembre dernier, un vol de 55 000 livres a été commis à la banque d'Angleterre par un individu dont la description correspond parfaitement à Mr. Fogg.

– Mon maître est un honnête homme ! s'exclama Passepartout.

– Qu'en savez-vous ? demanda Fix. Vous êtes entré à son service le jour de son départ. Il est parti très rapidement sous un prétexte insensé en emportant des billets de banque.

– Que voulez-vous de moi ? demanda Passepartout qui avait pris sa tête à deux mains.

– Aidez-moi à le retenir à Hong-Kong et je partagerai la prime avec vous, dit Fix.

– Jamais ! hurla Passepartout.

– Mettons que je n'ai rien dit, dit Fix, buvons !

Pour anéantir* Passepartout qui était déjà ivre*, l'inspecteur mit dans ses mains une pipe d'opium. Le jeune homme s'évanouit, Fogg ne partirait pas sans lui ! Fix paya et sortit.

Pendant de temps Fogg et Mrs. Aouda se promenaient en ville. Comme celle-ci avait accepté d'aller en Europe, elle avait besoin de faire quelques achats pour ce long voyage.

Le lendemain matin Passepartout n'était toujours pas là et Fogg,

---

anéantir : écraser complètement   ivre : dont le cerveau est troublé par l'alcool

ne sachant pas que le *Carnatic* était parti la veille, se présenta en vain avec Mrs. Aouda sur le quai... L'inspecteur Fix s'approcha d'eux.

– Excusez-moi monsieur, j'ai voyagé à bord du *Rangoon* hier. Je cherche votre domestique, il n'est pas avec vous ? demanda Fix.

– Non répondit Mrs. Aouda, nous ne le voyons pas depuis hier. Peut-être qu'il était à bord du *Carnatic*.

– Sans vous madame ? répondit l'agent. Mais vous comptiez partir vous aussi sur ce bateau ?

– Oui, Monsieur, fit la dame.

– Moi aussi. Le *Carnatic* est parti douze heures plus tôt sans prévenir personne et maintenant il va falloir attendre huit jours le prochain départ.

Fix sentait son cœur sauter de joie en disant ces mots : il aurait le temps de recevoir le mandat d'arrêt ! Mais Fogg, imperturbable, affirma qu'il y avait d'autres navires dans le port et il alla en chercher un en compagnie de Mrs. Aouda. Fix, abasourdi*, les suivit. Fogg s'adressa à un marin.

– Vous avez un bateau prêt à partir ? demanda Fogg. Je vous offre 100 livres et une prime de 200 livres si j'arrive à temps.

Le marin John Bunsby, patron de la *Tankadère*, ne s'était jamais aventuré si loin avec son bateau mais la somme d'argent était intéressante. Considérant sa petite embarcation, il conseilla à Fogg un parcours moins dangereux.

Avant de partir, Fogg alla à la police pour signaler la disparition de Passepartout et laissa une somme suffisante pour le rapatrier. Une heure après, la *Tankadère* s'élançait sur les flots, conduite par John Bunsby et les quatre membres de son équipage.

abasourdi : consterné

Compréhension

1 **Complète les phrases.**

Fogg arrivera à Hong-Kong avec vingt heures de retard à cause *du mauvais temps et de la tempête* ....

1 Passepartout aurait volontiers embrassé le pilote du *Rangoon* parce que ....
....

2 Fogg se met à la recherche de ce parent chez qui il devait laisser Mrs. Aouda mais ....
....

3 Passepartout va au quai d'embarquement du *Carnatic* et il aperçoit Fix qui ....
....

4 Fix pour révéler son identité à Passepartout et pour retenir Fogg à Hong-Kong ....
....

5 Passepartout ne peut pas prévenir Fogg que le *Carnatic* partirait le soir même car ....
....

6 Passepartout s'indigne contre les gentleman du Reform club convaincu que Fix ....
....

7 Fix propose à Passepartout de partager sa prime s'il l'aide à arrêter Fogg mais celui-ci ....
....

8 Passepartout s'évanouit dans la tabagie parce que l'inspecteur ....
....

9 Le *Carnatic* est parti douze plus tôt et l'inspecteur est content parce que ....
....

10 Fix est abasourdi parce que Fogg cherche d'autres navires dans le port et ....
....

Vocabulaire

2 Complète la grille en créant des noms à partir des adjectifs.

ADJECTIFS	NOMS
galant	*la galanterie*
1 maigre	
2 généreux	
3 riche	
4 seul	
5 pâle	
6 ému	
7 froid	
8 propre	
9 honnête	
10 convaincu	
11 bavard	
12 bruyant	
13 charmant	
14 heureux	
15 dévoué	
16 serviable	
17 coupable	
18 habile	
19 curieux	

Grammaire

3 **Mets les phrases au style indirect.**

Qu'est-ce qui se passe sur le bateau ?
Je me demande ce qui se passe sur le bateau.

1 Où cette affaire de vol en est-elle ?
Nous ne savons pas.. .

2 Peut-on faire le tour du monde en 80 jours ?
Je me demande ....

3 Qui est-ce qui a violé la pagode indoue ?
Je ne sais pas ....

4 Qu'est-ce qui passe par la tête de Passepartout ?
J'ignore ....

5 Comment s'appelle la déesse de l'amour et de la mort ?
Tout le monde sait.. .

6 Quand Fogg arrivera-t-il à Hong-Kong ?
Nous nous demandons ....

4 **Complète avec le pronom démonstratif qui convient.**

Voilà le programme de Fogg, ...*celui*........ qui inclut les risques
de tempête.

1 Le juge a entendu le témoignage des prêtres, maintenant il
veut entendre .... de l'accusé.

2 La tempête est toujours terrible mais .... du
6 novembre a été pire.

3 Le gouvernement ne met pas toujours les inculpés en prison,
.... dépend de la gravité du délit commis.

4 Les membres de l'équipage du *Rangoon* sont nombreux,
.... de la *Tankadère* ne sont que quatre.

5 Le porto et l'opium ? Fogg n'aime pas du tout ....

6 Passepartout range ses chemises dans la malle, ...
de son maître sont encore sur le lit.

7 Fix ne comprend pas .... que Passepartout raconte
au sujet des obstacles que les membres du Reform club
veulent créer à son maître.

Production écrite

5 Passepartout, croyant que les gentlemen font surveiller son maître, affirme qu'ils dépensent leur argent inutilement. Que dit-il à ton avis pour le défendre ?

....
....
....
....
....
....
....
....
....
....
....

ACTIVITÉ DE PRÉ-LECTURE

6 Fais ton pronostic !

1 À ton avis, où est passé Passepartout ?
- **a** ☐ Il est resté dormir dans la tabagie.
- **b** ☐ Il s'est mis à la recherche de Fogg.
- **c** ☐ Il s'est embarqué sur le *Carnatic*.

2 Fix va se convaincre que :
- **a** ☐ Fogg va rester en Amérique pour dépenser l'argent volé.
- **b** ☐ Fogg va rentrer en Angleterre pour se rendre aux autorités.
- **c** ☐ Fogg n'a rien volé du tout.

3 Que va faire Passepartout pour se venger de Fix ?
- **a** ☐ Il va le battre.
- **b** ☐ Il va tout raconter à Fogg.
- **c** ☐ Il va l'assassiner.

Chapitre VII

À la recherche
de Passepartout

▶ 5 Phileas Fogg, le corps droit, les jambes écartées, regardait la mer agitée.
La jeune femme, assise derrière lui, se sentait émue en regardant cet
océan. Les voiles blanches de la *Tankadère* semblaient deux grandes
ailes au-dessus de leurs têtes.

Le nuit tombait et des nuages envahissaient une partie du ciel. Fix ne
parlait pas et pensait à l'avenir. Le plan de Fogg lui semblait très simple.
Au lieu de s'embarquer pour l'Angleterre, il resterait en Amérique pour
profiter de la somme volée. Et lui, il ne le quitterait pas d'une semelle,
c'était son devoir !

Fogg pensait à son domestique. Peut-être qu'il s'était embarqué
sur le *Carnatic* au dernier moment. Mrs. Aouda espérait le retrouver à
Yokohama.

John Bunsby examinait le ciel, un typhon était en train de se préparer
et il avait pris des précautions à bord. Il voulait que ses passagers restent
dans la cabine mais ceux-ci préférèrent rester sur le pont. La bourrasque
de pluie et des rafales de vent tombaient. Le bateau courait au milieu
des vagues à toute vitesse. La nuit, la tempête s'accentua encore et
quand le jour reparut elle se déchaîna avec fureur. De temps en temps
on apercevait la côte à travers les brumes, mais pas un navire en mer.
La *Tankadère* était seule. Puis il y eut quelques signes d'accalmie et la

nuit suivante fut tranquille. Le pire était passé et on voulait arriver à tout prix ! Au loin, on vit un long bateau noir d'où sortait de la fumée. C'était le paquebot américain qui sortait à l'heure prévue.

– Malédiction ! s'écria John Bunsby.

– Faisons des signaux ! dit simplement Fogg. Donnons des coups de canons et baissons le pavillon* en signe de détresse*.

Entre temps le *Carnatic* avait quitté Hong-Kong le 7 novembre. Il se dirigeait vers le Japon. Le lendemain de l'embarquement les marins avaient trouvé Passepartout, encore sous l'effet du porto et de l'opium. Il s'était traîné de la tabagie jusqu'au bateau. Revenu à lui, il s'était mis à chercher son maître et Mrs. Aouda. Leurs noms ne figuraient pas sur la liste des passagers. Il se souvint alors qu'ils ne pouvaient pas être à bord vu que le départ du *Carnatic* avait été avancé et qu'ils n'en savaient rien.

Arrivé à Yokohama il se retrouva seul et sans argent. Il se promena dans la ville en se demandant comment il allait faire pour gagner sa vie. Comme il savait chanter, il pensa que les Japonais apprécieraient son talent européen mais à la fin il choisit de s'offrir comme cuisinier ou domestique à bord d'un bateau en partance pour San Francisco.

Il réfléchissait quand son regard tomba sur une affiche. La troupe acrobatique des Longs-nez-longs-nez de William Batuclar allait donner une dernière représentation avant de partir pour l'Amérique. Passepartout alla directement au cirque pour chercher du travail.

– Si vous êtes français, vous savez faire des grimaces*, dit Batuclar. Je peux vous prendre comme clown. Et vous savez chanter ?

– Oui monsieur, répondit Passepartout plutôt vexé*.

– Mais savez-vous chanter la tête en bas, avec une toupie* sur la plante du pied gauche et un sabre sur le pied droit ?

---

pavillon : petit drapeau
détresse : difficulté
grimaces : expressions du visage

vexé : offensé
toupie : jouet que l'on fait tourner

– Bien sûr ! dit Passepartout qui se rappelait les exercices de son jeune âge.

La troupe devait son nom aux longs nez en bambou que les acrobates utilisaient pour leurs exercices d'équilibre. Ce jour-là pour terminer leur spectacle, ils devaient faire la pyramide humaine mais l'un de ceux qui formaient la base avait quitté la troupe... on décida donc de le remplacer par Passepartout.

Habillé avec un costume du Moyen Age et avec un long nez sur le visage, Passepartout entra en scène et on commença à construire la pyramide. Mais au milieu des applaudissements la pyramide se mit à trembler et s'écroula comme un château de cartes. Passepartout avait vu Fogg parmi les spectateurs.

– Ah mon maître ! Mon maître ! s'écria-t-il.

– Allons au Paquebot mon garçon ! répondit Fogg.

Voilà ce qui s'était passé. Le 14 novembre, le capitaine du paquebot de Yokohama avait vu les signaux de la *Tankadère* et Fogg, Mrs. Aouda et Fix étaient montés à bord. Une fois à Yokohama, Fogg était allé à bord du *Carnatic* et il avait découvert que son domestique était arrivé la veille et il s'était mis à sa recherche. Entré par hasard dans le cirque de Batuclar, il le retrouva. Passsepartout raconta ses mésaventures à la tabagie sans parler de Fix et il s'excusa.

Finalement le *General-Grant* partit pour San Francisco et aucun incident nautique ne troubla la traversée. Fogg était calme et sa jeune compagne se sentait de plus en plus attachée à cet homme si silencieux à qui elle devait tout. Elle s'intéressait à ses projets et Passepartout avait compris qu'elle nourrissait un sentiment profond pour son maître.

Sur 80 jours à disposition, Fogg en avait employé 52. Mais où était

passé Fix ? À Yokohama, il avait finalement trouvé son mandat d'arrêt mais ce mandat devenait inutile ! Mr. Fogg avait quitté les possessions anglaises et il fallait maintenant un acte d'extradition pour l'arrêter !

— Soit ! se dit Fix, après un premier moment de colère, mon mandat n'est plus bon★ ici, il le sera en Angleterre. Ce voleur croit revenir dans sa patrie après avoir dépisté la police. Bien. Je le suivrai jusque-là.

Il s'embarqua donc sur le *General-Grant*. Il était déjà à bord quand Fogg et Mrs. Aouda arrivèrent. Surpris, il vit Passepartout et il se cacha dans sa cabine. Mais un jour, il se retrouva face à face avec lui et Passepartout lui sauta à la gorge. Quand il eut fini de le battre, Fix se releva en assez mauvais état.

— Si vous avez fini, venez me parler dans l'intérêt de votre maître ! dit Fix. Si jusqu'ici j'ai été l'adversaire de Mr. Fogg, maintenant je suis dans le jeu !

— Enfin ! s'écria Passepartout, vous le croyez un honnête homme ?

— Non, je le crois un voleur, répondit Fix. J'ai tout fait pour le ralentir : j'ai lancé contre lui les prêtres de Bombay, je vous ai fait boire à Hong-Kong, je vous ai séparé de lui et je lui ai fait rater le paquebot de Yokohama… maintenant, Fogg semble rentrer en Angleterre mais je ne veux plus être un obstacle. Mon jeu a changé car pour pouvoir l'arrêter il doit être en Angleterre. Votre intérêt est comme le mien : c'est en Angleterre que vous saurez si vous êtes au service d'un criminel ou d'un honnête homme !

Passepartout écoutait le détective, les poings fermés. Convaincu de la bonne foi de Fix, il accepta.

— Nous ne sommes pas amis, dit-il, mais nous avons un pacte★. Et à la moindre trahison je vous tordrai le cou ! dit Passepartout.

---

bon : ici, valable   **pacte :** accord

Onze jours après, le 3 décembre, le *General-Grant* arriva à San Francisco. Mr. Fogg n'avait encore gagné ni perdu aucun seul jour ! Il était 7h quand Phileas Fogg, Mrs. Aouda et Passepartout débarquèrent. Mr. Fogg s'informa de l'heure à laquelle partait le premier train pour New-York. C'était à 18h. Il avait donc une journée entière à dépenser dans la capitale californienne. Il fit venir une voiture pour aller vers l'*International Hotel*.

Passepartout observait avec curiosité cette grande ville commerçante : larges rues, maisons basses et bien alignées ; dans les rues, des voitures, des omnibus, des tramways. Certaines rues étaient bordées de magasins splendides qui offraient des produits du monde entier.

Arrivés à l'hôtel, Passepartout n'avait pas l'impression d'avoir quitté l'Angleterre. Le rez-de-chaussée de l'hôtel était occupé par un immense buffet gratuit. Mr. Fogg et Mrs. Aouda s'installèrent à une table du restaurant et furent servis abondamment. ●

Compréhension

1 **Trouve la seconde moitié de chaque phrase.**

1 [g] Le *Carnatic* avait quitté Hong-Kong le 7 novembre et ...

2 ☐ Il s'était mis à chercher son maître et Mrs. Aouda mais ...

3 ☐ Arrivé à Yokohama il se demanda comment il allait faire pour gagner sa vie et ...

4 ☐ À la fin il choisit de s'offrir comme cuisinier ou domestique ...

5 ☐ Son regard tomba sur une affiche de la troupe acrobatique des Longs-nez-longs-nez et ...

6 ☐ Comme il savait faire des grimaces et chanter, ...

7 ☐ Ce jour-là les acrobates devaient faire la pyramide humaine mais ...

8 ☐ On commença à construire la pyramide mais ...

a comme il savait chanter, il pensa que les Japonais apprécieraient son talent européen.

b il alla directement au cirque pour chercher du travail.

c l'un d'eux avait quitté la troupe et on décida donc de le remplacer par Passepartout.

d leurs noms ne figuraient pas sur la liste des passagers vu que le départ du Carnatic avait été avancé et qu'ils n'en savaient rien.

e le directeur du cirque décida de le prendre comme clown dans sa troupe.

f au milieu des applaudissements la pyramide s'écroula car Passepartout avait vu Fogg parmi les spectateurs.

g les marins avaient trouvé Passepartout, encore sous l'effet du porto et de l'opium sur le bateau.

h à bord d'un bateau en partance pour San Francisco.

2 **Réponds aux questions.**

1 Que propose Fogg quand il voit le paquebot américain sortir à l'heure prévue ?

....

2 Pourquoi Batuclar vexe-t-il Passepartout ?

....

3 Comment Fogg a-t-il découvert que son domestique était à Yokohama ?

....

4 Quel type de rapport y a-t-il entre Fogg et Mrs. Aouda ?

....

5 Pourquoi le mandat d'arrêt de Fix est désormais inutile ?

....

Vocabulaire

3 **Voilà quelques expressions trouvées dans le livre, que veulent-elles dire ? Associe correctement.**

1	e Être attaché à quelqu'un	**a**	S'assurer que
2	☐ Avoir les larmes aux yeux	**b**	L'échange s'interrompt
3	☐ Toucher une prime	**c**	Surveiller
4	☐ À tout prix	**d**	Avoir des difficultés à
5	☐ Se tirer d'affaire	**e**	Avoir de l'affection
6	☐ En avoir le cœur net	**f**	Rencontrer
7	☐ Avoir du mal à	**g**	Se confier
8	☐ Refuser net	**h**	Dire non catégoriquement
9	☐ Ne pas quitter d'une semelle	**i**	S'en sortir
10	☐ Tomber sur quelqu'un	**j**	Être ému
11	☐ Avoir le mal de mer	**k**	Coûte que coûte
12	☐ La conversation tombe	**l**	Avoir la nausée
13	☐ Parler à mots couverts	**m**	Recevoir une récompense

4 **Complète avec les mots manquants.**

> amarres • signaux • voiles-équipage • marins • traversée •
> escale • détresse • port • quai • ~~cabine~~ • paquebot •
> rouler • pavillon • pont

Les passagers jouent aux cartes dans leur .... *cabine* ....

1 Fix rencontre Passepartout sur le .... du navire.

2 Le bateau en .... lance des .... et baisse le ....

3 Les .... ont trouvé Passepartout à bord du *Carnatic*.

4 Il n'y a pas eu d'accident pendant la ....

5 Fogg et Passepartout sont partis du .... de Douvres.

6 La foule de voyageurs attend sur le .... avant d'embarquer.

7 L'arrivée du .... est annoncée par un coup de sifflet.

8 La mer capricieuse fait .... le bateau.

9 L'embarcation fait .... pour se réapprovisionner de combustible.

10 Au moment du départ on largue les ....

11 Passepartout est si agile qu'il étonne l'........................ .

Grammaire

5 **Transforme les adjectifs en adverbes.**

Fogg gagnait au whist et donnait (généreux)
généreusement ses gains.

1 Les gentlemen de la haute société s'habillent (élégant) ....

2 Fix envoie (rapide) .... un télégramme au directeur de la police.

3 Fogg et ses compagnons avancent (prudent) .... pour libérer Mrs. Aouda du bûcher.

4 Passepartout raconte (bref) .... sa mésaventure à son maître.

5 La tempête en mer se déchaîne (violent) ....

6 Les acrobates forment (gai) .... leur pyramide humaine pour divertir le public.

7 Mrs Aouda regarde (gentil) .... Fogg et lui répond pleine de gratitude.

8 Passepartout réussit (facile) .... à se tirer d'affaire.

9 Le vent soulève (léger) .... les voiles de la *Tankadère*.

10 Les babouches de Passepartout coûtent (cher) ....

11 Passepartout était (complet) .... ivre en sortant de la taverne.

12 Fix était (franc) .... un peu trop sûr de lui en accusant Fogg de la sorte !

ACTIVITÉ DE PRÉ-LECTURE

6 **Dans le prochain chapitre les voyageurs vont prendre du retard à cause d'un troupeau d'animaux. Lesquels ? Complète la grille et lis les cases colorées.**

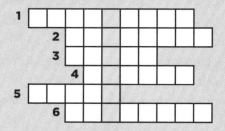

1 La profession des Longs-nez-longs-nez.

2 D'après Batuclar, les Français savent en faire.

3 Fogg ne figure pas sur celle des passagers.

4 Passepartout sait chanter en en mettant une sur la plante du pied.

5 La destination du *Carnatic*.

6 Fix ne veut plus en être un pour Fogg.

Chapitre VIII

La traversée de l'Amérique

Après déjeuner, Phileas Fogg, accompagné de Mrs. Aouda, quitta l'hôtel pour se rendre au consulat et faire viser son passeport. Sur le trottoir, il trouva son domestique qui l'invitait à acheter des armes à feu avant de prendre le chemin de fer du Pacifique : Passepartout avait entendu parler des Sioux et des Pawnies qui attaquaient les trains. Fogg répondit que c'était inutile mais de faire ce qu'il voulait.

Puis Fogg rencontra Fix qui fit semblant d'être surpris. Il voulait visiter la ville en compagnie de Fogg et de Mrs. Aouda. Ils se promenaient donc tous les trois dans la ville quand ils se retrouvèrent au cœur d'une scène tumultueuse. Tout servait de projectiles. Bottes et chaussures volaient dans le bruit de la foule.

– Il est plus prudent de nous retirer, dit Fix qui voulait protéger son « homme ».

Mais derrière eux on entendait « Hurrah ! Hip ! Hip ! pour Mandiboy ». Cette troupe d'électeurs s'approchait des partisans de Kamerfield. Il s'agissait bien d'un meeting politique et Mr. Fogg, Mrs. Aouda et Fix se retrouvaient au beau milieu. Il était trop tard pour s'échapper*. On les bousculait* beaucoup et Fogg se défendait comme il pouvait. Un énorme garçon à la barbe rouge, au teint* coloré et aux larges épaules lui donna un coup de poing mais Fix se mit entre les deux et prit le coup à sa place.

---

s'échapper : s'enfuir
bousculait : poussait, heurtait

teint : couleur de la peau

– Yankee* ! dit Fogg à son adversaire.

– Englishman ! répondit l'autre.

– Nous nous retrouverons !

– Quand vous voudrez ! Votre nom ?

– Phileas Fogg. Le vôtre ?

– Le colonel Stamp W. Proctor.

La foule disparut. Les vêtements de Fix étaient déchirés* et ils en achetèrent tout de suite d'autres avant de rentrer à l'hôtel. Passepartout attendait son maître avec ses armes à feu. Après le dîner, ils chargèrent leurs bagages et au moment de monter en voiture Fogg demanda à Fix s'il avait revu le colonel Proctor. Il avait bien l'intention de revenir en Amérique pour le retrouver : on ne traite pas un gentleman anglais de cette façon !

Le train était prêt à partir : "Ocean to Ocean" comme disent les Américains. C'est le nom du train qui traverse les États-Unis dans leur plus grande largeur. New York et San Francisco sont reliés par cette voie ferrée et il faut sept jours pour la parcourir. Fogg espérait prendre le paquebot pour Liverpool le 11 décembre.

Les voyageurs étaient partis à 18h et il faisait très froid. Le ciel était couvert de nuages. On parlait peu dans le wagon. Une heure après le départ la neige tombait et on apercevait une nappe blanche à travers les fenêtres. Les banquettes du wagon se transformèrent en couchettes. Il ne restait plus qu'à dormir pendant que le train filait à toute vitesse à travers la Californie et le massif du Sierra Nevada.

Phileas Fogg, la jeune femme, Fix et Passepartout regardaient le paysage : les vastes prairies, les montagnes, les eaux des torrents.

---

yankee : nom donné aux habitants anglo-saxons aux Etats-Unis   **déchirés :** mis en morceaux

Parfois des bisons bloquaient la voie et la locomotive devait attendre avant de repartir. Les voyageurs regardaient ce curieux spectacle... sauf Fogg restait à sa place. Passepartout était en colère à cause du retard causé par ces animaux.

Ils longèrent le Lac Salé où les mormons* cultivaient la terre et élevaient leurs animaux domestiques. Puis ils arrivèrent à la gare d'Ogden. Comme le train ne devait repartir que le soir, les compagnons de voyage décidèrent de visiter la Cité des Saints, une ville mormone.

Le 7 décembre, il y eut un quart d'heure d'arrêt à la gare de Green River. Quelques voyageurs étaient descendus du train et se promenaient sur le quai. Mrs. Aouda regardait par la fenêtre quand elle vit passer le colonel Stamp W. Proctor qui s'était si mal comporté avec Fogg à San Francisco. Il fallait absolument qu'elle évite une rencontre entre les deux hommes ! Elle mit au courant Fix et Passepartout et pour distraire Fogg ils lui proposèrent de jouer au whist.

– Mais je n'ai ni cartes ni partenaires ! dit Fogg.

– Nous allons trouver des cartes, répondit Fix. Et nous serons vos partenaires.

– Bien sûr, fit Mrs. Aouda, moi aussi je sais jouer au whist.

Passepartout partit à la recherche des cartes et le jeu commença. Ils avaient trouvé le moyen pour ne plus le faire bouger ! Le train traversait les longues plaines qui s'étendent jusqu'à l'Atlantique. La neige avait cessé de tomber et laissait la place à un froid sec. Aucun fauve*, ours ou loup... c'était le désert.

Mais tout à coup on entendit des coups de sifflet et le train s'arrêta. Aucune gare en vue. Passepartout descendit du train tout comme

---

mormons : mouvement religieux américain   **fauve :** animal sauvage

une quarantaine de voyageurs parmi lesquels se trouvait Proctor.

Le train ne pouvait plus continuer sa course. Impossible de traverser le pont de Medicine Bow qui était au-dessus d'un rapide*. Passepartout n'osait pas prévenir son maître.

– Nous ne pouvons pas rester ici ! s'écria Proctor.

– Colonel, répondit le conducteur, on a télégraphié à la gare d'Omaha pour demander un train, mais il arrivera dans six heures environ.

– Six heures ! s'écria Passepartout.

– Oui, et ce temps sera nécessaire pour arriver à pied à la prochaine gare qui se trouve à douze milles d'ci, de l'autre côté de la rivière.

– Douze milles à pied et dans la neige ! crièrent les voyageurs.

Le colonel était furieux contre la compagnie de chemins de fer et contre le conducteur. Passepartout était sur le point d'informer son maître de la situation quand un mécanicien du train éleva la voix.

– Nous pourrions traverser le pont en lançant notre train à toute vitesse, dit-il.

Cette proposition plaisait à certains voyageurs et en particulier au Colonel Proctor qui avait vu des ingénieurs lancer des trains à toute vitesse « sans pont ». Passepartout était très agité, cette idée lui semblait un peu trop « américaine » !

La locomotive siffla, accéléra et l'on passa ! À peine le train avait-il traversé le pont que celui-ci s'effondra* dans le rapide de Medecine Bow.

Le voyage continua sans obstacles jusqu'au jour où Mr. Fogg et le colonel Proctor se rencontrèrent et décidèrent de se battre en duel dans le dernier wagon du train. Mrs. Aouda était devenue pâle comme une morte. Ils allaient se donner des coups de revolver quand tout à coup ils entendirent des cris sauvages et des coups de fusil : des

---

rapide : torrent   **s'effondra :** s'écroula, tomba

Sioux attaquaient le train, luttaient corps à corps avec les voyageurs dont ils jetaient les bagages sur la voie.

Les voyageurs se défendaient avec courage mais plusieurs furent blessés, comme le colonel Proctor. Pour se libérer des Sioux, il fallait s'approcher de la prochaine gare à côté de laquelle il y avait un fort. Passepartout, pour faire ralentir le train et lui permettre de s'arrêter près de ce fort, avait détaché la locomotive en passant sous les wagons. Une agilité sans pareils* !

Voyant arriver les soldats, les Sioux s'enfuirent... en emportant trois prisonniers dont Passepartout ! Fogg partit avec quelques soldats pour les libérer. Entre temps, les voyageurs attendaient à la gare. Au loin ils virent arriver la locomotive conduite par le mécanicien. Le train pouvait donc repartir.

Quand Fogg, les soldats et les prisonniers arrivèrent, ils ne trouvèrent que Mrs. Aouda et Fix à la gare. Phileas Fogg était maintenant en retard de vingt heures ! Mais Fix eut une idée : un homme venait de lui proposer un autre moyen de transport, un traîneau à voile. L'affaire fut conclue et le départ organisé. Le traîneau filait sur la neige glacée à toute vitesse.

Ils parvinrent dans une gare et trouvèrent un train pour Chicago où ils arrivèrent le 11 décembre, prêts à s'embarquer pour Liverpool... mais le *China* était parti depuis 45mn en emportant le dernier espoir de Phileas Fogg.

---

sans pareils : incroyable

Compréhension

1 **Complète les phrases.**

À San Francisco Passepartout veut acheter des armes à feu parce que *il a entendu parler des Sioux et des Pawnies qui attaquent les trains* .

1 Les personnages se retrouvent au milieu d'un meeting politique qui oppose ....

2 Fogg doit se défendre du colonel Stamp W. Proctor qui lui ....

3 Pendant le voyage Mrs. Aouda propose de jouer au whist parce que ....

4 Le train réussit à traverser le pont de Medicine Bow grâce au ....

5 Mrs. Aouda est devenue pâle comme une morte parce que ....

6 Passepartout réussit à sauver les voyageurs de l'attaque du train car ....

7 Passepartout est fait prisonnier avec deux autres passagers mais Fogg ....

8 Fix trouve un traîneau à voile pour poursuivre le voyage mais hélas ....

Vocabulaire

2 **Complète les expressions avec les mots de la météo.**

> tempête • pluie • vent • neige • soleil • froid •
> saison • ~~pluie~~ • nuages

Fogg décide tout ! Il fait la ......*pluie*.... et le beau temps.

1 Dans les grandes plaines américaines il fait un .... de canard.

2 Le pilote a de l'expérience, il n'est pas né de la dernière ....

3 Il y a un .... à décorner les bœufs.

4 Fogg est innocent, il est blanc comme ....

5 Passepartout veut acheter des pommes mais elle ne sont plus de ....

6 Fix commence a avoir les idées confuses : il a la tête dans les ....

7 Les journaux font beaucoup de bruit pour pas grand-chose, il y a une .... dans un verre d'eau.

8 Fogg a une bonne position dans la société, il s'est fait une place au ....

3 **Trouve 16 mots du lexique de la ville et avec les lettres restantes lis une phrase qui définit parfaitement la nature de Passepartout.**

F	B	I	B	L	I	O	T	H	E	Q	U	E	I
D	E	H	O	T	E	L	L	T	G	A	R	E	E
M	C	O	U	H	R	A	B	A	N	Q	U	E	C
U	H	O	T	E	L	D	E	V	I	L	L	E	I
S	M	A	G	A	S	I	N	E	G	E	R	U	R
E	P	O	R	T	X	B	U	R	E	A	U	X	Q
E	B	O	U	R	S	E	R	N	I	S	E	Q	U
U	F	A	V	E	N	U	F	F	Q	U	A	I	F

Passepartout est un domestique _ _ _ _ _ _ , un homme
_ _ _ _ _ _ _ _ _ qui aime le _ _ _ _ _ _ .

Grammaire

4 **Transforme les phrases suivantes à la voix passive.**

Passepartout a invité Fogg à acheter des armes à feu.
Fogg a été invité à acheter des armes par Passepartout.

1 La foule de partisans a bousculé Mrs. Aouda dans la rue.

....

2 Les voyageurs ont apprécié les vastes prairies américaines.

....

3 Les bisons ont causé du retard au train.

....

4 Les mormons élèvent leurs animaux à côté du Lac Salé.

....

5 On a entendu des cris sauvages et des coups de fusil.

....

5 **Complète les constructions verbales avec les prépositions qui conviennent ou en ne mettant rien.**

> envers • ~~de~~ • à • en

Fix s'approche ...*de*... Passepartout pour le faire parler.

1 Les indous croient .... la déesse Kali.

2 Fogg cherche .... se défendre comme il peut.

3 Est-ce que Fix reconnaît .... avoir commis une erreur en accusant Fogg ?

4 Passepartout a changé .... idée et est allé travailler au cirque.

5 Mrs Aouda voudrait s'acquitter .... Fogg pour avoir été sauvée.

6 Fix fait semblant de traiter Passepartout .... ami.

7 Passepartout est arrivé avant .... ses compagnons de voyage.

8 Fogg ne s'attendait pas .... tant de courage de la part de son domestique.

9 Mrs. Aouda se rappelle .... les jours heureux de son enfance.

10 Les mormons sont respectueux .... la nature et leurs animaux.

11 Fogg se souviendra .... la bagarre avec Proctor.

12 L'idée de voyager en traîneau à voile lui vint .... l'esprit.

Orthographe d'usage

6 Trouve la lettre finale des mots suivants et écris un verbe ou un substantif que l'on peut former à partir de ce mot.

Fogg a le tein_t_ pâle : ...._teinter_.......

1 Passepartout aspirait au repo_ après une jeunesse vagabonde : ....

2 Il y a beaucoup de passagers à bor_ du bateau : ....

3 L'Angleterre est un pay_ à la froideur proverbiale : ....

4 Les Anglais pense que le Français est bavar_ : ....

5 Le bateau roule en empêchant les chan_s et les danses : ....

6 Fix attend son mandat d'arre_ : ....

7 Fogg n'entend pas modifier son proje_ initial : ....

8 L'éléphant est un moyen de transpor_ exceptionnel : ....

9 Le san_ sortait goutte à goutte des incisions : ....

10 Les veuves indiennes ne mangent que quelques poignées de ri_ : ....

11 La _Tankadère_ s'élance au milieu des flo_s : ....

12 Passepartout sait tenir un sabre sur la plante du pie_ : ....

ACTIVITÉ DE PRÉ-LECTURE

7 Fais ton pronostic.

1 Fogg va arriver à Londres :
a ☐ en avance
b ☐ à l'heure
c ☐ en retard

2 Fogg va être :
a ☐ inculpé du vol
b ☐ disculpé du vol
c ☐ gracié par le tribunal

3 Mrs Aouda va :
a ☐ travailler pour Mr. Fogg
b ☐ épouser Mr. Fogg
c ☐ être rapatriée en Inde

Chapitre IX

L'arrestation et le coup de théâtre

6 Passepartout était à plat ! Tous les obstacles, toutes les sommes dépensées… c'était en partie de sa faute ! On était maintenant le 12 décembre et il ne restait que neuf jours, treize heures et quarante-cinq minutes à Fogg pour gagner son pari.

Mr. Fogg était parti à la recherche d'un bateau en partance pour Liverpool quand il aperçut l'*Henrietta*. Le capitaine Andrew Speedy était à bord.

– Quand partez-vous monsieur ? demanda Fogg. Pouvez-vous me transporter à Liverpool avec trois personnes ?

– Désolé, je pars pour Bordeaux, répondit Speedy.

Fogg essaya de convaincre le capitaine à changer de route, sans succès. Il accepta donc d'aller à Bordeaux pour la modeste somme de 8000 dollars. Il eut juste le temps d'aller chercher ses compagnons de voyage à l'hôtel.

L'inspecteur Fix réfléchissait : arrivé à Londres son homme aurait dépensé la plupart de l'argent volé à la banque !

Le 13 décembre, Phileas Fogg faisait le point sur le pont du bateau pendant que Speedy hurlait. Comme Speddy ne voulait pas aller à Liverpool, Fogg l'avait enfermé dans sa cabine. L'*Henrietta* arriverait donc le 21 décembre à Liverpool si la mer était bonne et les vents favorables.

Fix n'y comprenait plus rien ! Mais, après tout, si un gentleman pouvait voler 55 000 livres à une banque, pourquoi pas un bateau aussi !

Le 16 décembre, c'était le 75ème jour depuis le départ de Londres. La moitié de la traversée était à peu près faite quand le mécanicien annonça à Fogg que le charbon de suffirait pas pour arriver à Liverpool. Fogg fit aller chercher Speedy. Celui-ci ressemblait à une bombe prête à exploser !

– Où sommes-nous ? demanda-t-il.

– À 770 000 milles de Liverpool, répondit Fogg calmement.

– Pirate ! s'écria Speedy.

– Je vous ai fait venir pour vous demander de me vendre votre bateau car je vais être obligé de le brûler, nous manquons de combustible, dit Fogg.

– Brûler mon navire ! s'écria Speedy. Un navire qui vaut 50 000 dollars !

– En voici 60 000 ! répondit Fogg.

Ce navire avait vingt ans. C'était une bonne affaire et Speedy accepta. Passepartout était blanc. Quant à Fix il faillit s'évanouir. Près de 20 000 livres dépensées sur les 55 000 volées à la banque !

Fogg fit démolir* les parties du bateau qui étaient en bois pour faire avancer l'*Henrietta*.

Cependant le bois était insuffisant pour arriver à Liverpool. On décida donc de s'arrêter à Quenstown où on prendrait un autre bateau pour s'y rendre.

Les voyageurs y arrivèrent à 11h40, le 21 décembre. Ils n'étaient plus qu'à six heures de Londres. Mais à ce moment précis, Fix

---

démolir : détruire

s'approcha de Fogg, lui mit la main sur l'épaule et lui montra son mandat d'arrêt :

– Vous êtes bien monsieur Phileas Fogg ? demanda-t-il.

– Oui monsieur, répondit Fogg.

– Au nom de la reine, je vous arrête ! dit Fix.

★★★

Fogg était en prison. Mrs. Aouda n'y comprenait rien et Passepartout lui raconta tout. Mr. Fogg, cet honnête et courageux gentleman, auquel elle devait la vie, était arrêté comme voleur. La jeune femme pleura, comment faire pour sauver son sauveur ?

Passepartout regrettait d'avoir caché à son maître les projets du détective Fix. S'il avait été prévenu peut-être qu'il aurait pu prouver son innocence… le pauvre garçon voulait se briser* la tête !

Quant à Fogg, il avait perdu le pari et il était ruiné*. Il avait posé sa montre sur une table et regardait avancer les aiguilles. Puis il avait tiré de son portefeuille l'itinéraire du voyage pour écrire : « 21 décembre, samedi, Liverpool. 80ème jour, 11h40 ».

La porte s'ouvrit et Mrs. Aouda, Passepartout et Fix se précipitèrent vers lui :

– Monsieur, dit Fix, pardon. Le voleur a été arrêté il y a trois jours. Vous êtes libre !

Fogg était libre ! Il regarda Fix bien en face et lui donna des coups de poing. Fix ne dit pas un mot, il le méritait bien. Ils montèrent tous dans une voiture et en quelques minutes ils arrivèrent à la gare de Liverpool. Comme l'express était parti, Fogg paya pour un train

briser : casser   ruiné : sans argent

spécial. Il devait arriver à Londres en cinq heures et demie. Mais il y eut un retard forcé et le train entra en gare à 20h50… trop tard !

Phileas Fogg, après avoir fait le tour du monde, arrivait avec un retard de 5 mn. Il avait perdu. Il devait 20 000 livres aux collègues du Reform Club, il n'avait plus rien ! Il rentra chez lui, à Saville-row, après avoir accompagné Mrs. Aouda à l'hôtel. Pourquoi aller au Reform Club ? Ses collègues ne l'attendaient plus.

Le lendemain, il demanda à Passepartout d'aller chercher la jeune femme. Il prit une chaise et s'assit en face d'elle. Il n'y avait aucune émotion sur son visage.

— Madame, dit-il, est-ce que vous me pardonnez de vous avoir emmenée en Angleterre ?

— Moi, monsieur Fogg ! s'écria Mrs. Aouda dont le cœur battait très vite.

— Quand je vous ai sauvée, j'étais riche et pouvais vous aider. Maintenant, je suis ruiné…

— Je le sais monsieur Fogg, répondit la jeune femme. Et vous, est-ce que vous me pardonnez de vous avoir retardé et d'avoir contribué à votre ruine ?

— Madame, vous ne pouviez pas rester en Inde. Les événements ont tourné contre moi.

— Que deviendrez-vous ?

— Je n'ai plus rien, je n'ai pas d'amis, je n'ai plus de parents…

— Monsieur Fogg, dit Mrs Aouda en lui tendant la main, voulez-vous une parente et une amie ? Voulez-vous m'épouser ?

— Je vous aime, répondit-il simplement. Je suis tout à vous !

— Ah ! s'écria Mrs Aouda, en mettant la main sur son cœur.

Fogg appela Passepartout. Il tenait Mrs. Aouda par la main. Passepartout comprit et fut très heureux. Fogg lui demanda d'aller prévenir le révérend Samuel Wilson que le lundi, il y aurait un mariage. Il était 8h05. Passepartout sortit en courant.

★★★

Le 17 décembre, on avait arrêté le vrai voleur de la banque et personne ne pensait plus au pari de Phileas Fogg, même les journaux avaient oublié son tour du monde en 80 jours.

Les cinq collègues du Reform Club étaient inquiets. Et si Fogg réapparaissait ? Où était-il en ce moment ? Allait-il apparaître le samedi 21 décembre, à 20h45 ? On envoya des télégrammes en Amérique, en Asie pour avoir de ses nouvelles ! On fit surveiller sa maison de Saville-row… Rien.

On recommença à parier sur lui. Le samedi soir il y avait une foule dans les rues, la circulation était bloquée. Les policemen avaient du mal à contenir la foule au fur et à mesure que l'heure approchait. Tous attendaient le retour de Fogg !

Tout à coup, on entendit des cris et des applaudissements. Les hommes du Reform club se levèrent. La porte du salon s'ouvrit. Phileas Fogg apparut :

— Me voici, dit-il.

Oui ! Phileas Fogg en personne. Que s'était-il donc passé ? On se rappelle qu'à 20h05 les voyageurs étaient arrivés à Londres et que Passepartout était allé chercher le révérend Samuel Wilson. Le lendemain, il était 8h35 quand il sortit de la maison du révérend. Mais

dans quel état ! En trois minutes, il était de retour à la maison de Saville-row. Il était si essoufflé* qu'il n'arrivait pas à parler.

– Qu'est-ce qu'il y a ? demanda Fogg.

– Monsieur, mariage impossible parce que demain c'est dimanche !

– Lundi, répondit Fogg.

– Non, aujourd'hui, c'est samedi !

– Samedi ? Impossible !

– Si, si, si, si ! s'écria Passepartout. Vous vous êtes trompé de jour ! Nous sommes arrivés vingt-quatre heures à l'avance… mais il ne reste plus que dix minutes !

Fogg sortit de chez lui en courant, sauta dans une voiture et arriva au Reform Club. L'horloge marquait 20h45 quand il apparut dans le grand salon… Phileas Fogg avait fait le tour du monde en quatre-vingts jours !

Comment un homme si précis avait-il pu commettre cette erreur de jour ? C'est très simple. Phileas Fogg avait, sans s'en rendre compte, gagné un jour sur son itinéraire simplement parce qu'il avait fait le tour du monde en allant vers l'est. S'il était allé vers l'ouest, il aurait perdu un jour.

En marchant vers l'est, il allait vers le soleil et donc les jours diminuaient d'autant de fois quatre minutes qu'il franchissait de degrés dans cette direction. Or, on compte 360 degrés sur la circonférence terrestre. Ces 360 degrés, multipliés par 4 minutes, donnent précisément 24 heures. Voilà pourquoi le samedi, et non le dimanche, ses collègues l'attendaient au Reform Club.

Phileas Fogg avait donc gagné 20 000 livres. Mais comme il en avait dépensé environ 19 000, le résultat financier était médiocre.

---

essoufflé : qui respire difficilement

Toutefois, on l'a dit, l'excentrique gentleman avait cherché la lutte et non pas la fortune en faisant ce pari. Les 1 000 livres restantes, il les partagea entre Passepartout et le pauvre Fix qu'il avait pardonné.

– Vous voulez toujours m'épouser ? demanda Fogg le soir même à Mrs Aouda.

– Monsieur, c'est moi qui dois vous poser cette question, vous étiez ruiné et vous voilà riche…

– Cette fortune vous appartient madame, répondit Fogg. si vous n'aviez pas pensé à ce mariage, mon domestique ne serait pas allé chez le révérend Samuel Wilson et je n'aurais pas été averti de mon erreur…

– Cher monsieur Fogg…, dit la jeune femme.

– Chère Aouda…., répondit Fogg.

On célébra le mariage quarante-huit heures plus tard et Passepartout, fut le témoin* de la jeune femme. C'est lui qui l'avait sauvée du bûcher, on lui devait cet honneur.

Le lendemain, Passepartout se précipita chez son maître.

– Monsieur, dit-il, je viens d'apprendre que nous pouvions faire le tour du monde en 79 jours seulement !

– Peut-être, répondit Fogg, en ne traversant pas l'Inde. Mais si je n'avais pas traversé l'Inde, je n'aurais pas connu Mrs. Aouda et elle ne serait pas ma femme…

Donc Phileas Fogg avait gagné son pari. Il avait fait le tour du monde en 80 jours. Pour le faire, il avait utilisé tous les moyens de transport : paquebots, bateaux, train, traîneau, éléphant. Mais après, qu'avait-il rapporté de ce voyage ? Une charmante jeune femme qui le rendit le plus heureux des hommes. Ne ferait-on pas le tour du monde pour moins que cela ?

---

témoin : personne qui prouve que le mariage a eu lieu

Compréhension

1 **Coche la bonne réponse.**

Fogg cherche un bateau en partance pour :
a ☐ Bordeaux **b** ☑ Liverpool **c** ☐ Londres

1 **Le capitaine de l'*Henrietta* :**
a ☐ accepte de changer de route pour 8000 dollars
b ☐ refuse de transporter Fogg
c ☐ hurle car Fogg l'a enfermé dans sa cabine

2 **Le mécanicien annonce à Fogg :**
a ☐ que le charbon est insuffisant
b ☐ qu'il faut faire demi-tour
c ☐ qu'ils arriveront à l'heure à destination

3 **Andrew Speedy accepte de brûler son bateau :**
a ☐ pour 20 000 livres
b ☐ pour 50 000 livres
c ☐ pour 60 000 livres

4 **Fix arrête Fogg dès leur arrivée :**
a ☐ à Londres
b ☐ à Liverpool
c ☐ à Quenstown

5 **Passepartout est désespéré :**
a ☐ de ne pas avoir mis en garde Fogg
b ☐ d'avoir caché toute l'histoire à Mrs Aouda
c ☐ de ne pas avoir éliminé le détective en mer

6 **On libère Fogg car le voleur a été arrêté :**
a ☐ le 21 décembre
b ☐ le 16 décembre
c ☐ le 17 décembre

7 **Fogg arrive à Londres pensant :**
a ☐ qu'il a perdu
b ☐ qu'il a gagné
c ☐ qu'il est arrivé avant

8 **Mrs Aouda demande pardon à Fogg parce que :**
a ☐ elle lui a fait dépenser trop d'argent
b ☐ elle lui a fait perdre du temps
c ☐ à cause d'elle il n'a plus d'amis

2 **Associe correctement.**

1 ☐ Les journaux avaient oublié le tour du monde en 80 jours mais le samedi soir...

2 ☐ On entendit des applaudissements. Les hommes du Reform club se levèrent, ...

3 ☐ À 20h05 les voyageurs étaient arrivés à Londres et ...

4 ☐ En trois minutes, il était de retour pour annoncer à son maître ...

5 ☐ Fogg s'était trompé de jour, ils étaient arrivés vingt-quatre heures ...

6 ☐ Phileas Fogg a, sans s'en rendre compte, gagné un jour sur son itinéraire ...

a le lendemain Passepartout était allé chercher le révérend pour célébrer le mariage.

b à l'avance et il ne restait plus que dix minutes à Fogg pour se rendre au Reform Club.

c la porte du salon s'ouvrit et Phileas Fogg apparut.

d qu'on ne peut pas célébrer le mariage un dimanche !

e simplement parce qu'il a fait le tour du monde en allant vers l'est.

f les policemen avaient du mal à contenir la foule car l'heure du retour approchait.

Vocabulaire

3 **Barre les intrus et justifie ta réponse.**

locomotive – wagon – ~~charrette~~ – compartiment
la charrette n'est pas une partie du train .

1 bateau – traîneau – navire – paquebot
....

2 éléphant – taxi – tramway – omnibus
....

3 torrent – océan - lac – taillis
....

4 zébus – bison – caféier – mangouste
....

5 tigre – zébu – ours – serpent
....

Grammaire

4 **Remplace les parties soulignées par un participe présent.**

Mr. Fogg, qui était en retard, chercha un bateau pour Liverpool.
Mr. Fogg, étant en retard, chercha un bateau pour Liverpool. .

1 Puisque le voyage coûte cher, Fix est sur le point de s'évanouir.

....

2 Comme le charbon finissait, Fogg décida de brûler le bateau.

....

3 Etant donné que Fogg n'avait pas commis le vol, on le libéra.

....

4 La foule qui attendait Fogg bloquait la circulation.

....

5 Fogg gagne son pari mais vu qu'il a dépensé 19 000 euros, le résultat est médiocre !

....

5 **Remplace les parties soulignées par un gérondif.**

Fogg apparaît au Reform Club, il étonne ses collègues.
En apparaissant au Reform club, Fogg étonne ses collègues. .

1 Fogg pardonne Fix, il partage avec lui les 1000 livres restantes.

....

....

2 Mrs. Aouda remercie Fogg de l'avoir sauvée et l'épouse.

....

....

3 Fogg a gagné son pari, il a fait le tour du monde en 80 jours.

....

....

4 Passepartout libère les passagers du train, il détache les wagons de la locomotive.

....

....

5 Passepartout entre dans la pagode avec ses chaussures, il vexe ainsi les prêtres indous.

....

....

Orthographe d'usage

6 **Ecris en lettres.**

80 : .... *quatre-vingts* ....

1 1872 : ....

2 55 000 : ....

3 15 200 : ....

4 75ème : ....

5 360 : ....

6 79 : ....

7 80ème : ....

8 1920 : ....

Production écrite

7 Tu envoies une communication à la Société royale de géographie pour les informer que Fogg a réussi à faire le tour du monde en 80 jours en allant contre leur conviction que l'entreprise du gentleman était une folie.

....

....

....

....

....

....

....

....

....

....

....

....

....

....

....

....

Jules Verne

Sa vie

Jules Verne naît à Nantes le 8 février 1828 où il passe toute son enfance. À l'âge de 11 ans, il fait une fugue et essaie de s'embarquer comme mousse sur un bateau en partance pour les Indes mais son père le récupère à la première escale. Ensuite Jules Verne passe son bac et monte à Paris pour faire des études de droit et il commence à écrire des pièces de théâtre. À 29 ans il épouse Honorine de Viane, une veuve qui a

deux filles. Leur fils, Michel, naît en 1861. Pour maintenir sa famille, Jules Verne travaille comme agent de change mais il continue à écrire. Comme son livre *Cinq semaines en ballon* a beaucoup de succès, il décide de quitter Paris et son bureau d'agent de change. Il s'installe au Crotoy, dans la Somme, puis à Amiens où il est élu conseiller municipal et où il meurt le 25 mars 1905.

Son œuvre

Jules Verne a écrit plus de 80 romans et une quinzaine de pièces de théâtre. Grâce à sa grande connaissance des conquêtes de la science, on le considère comme l'un des créateurs du roman d'Anticipation qu'en 1925 on rebaptisera de « science-fiction » : la science et le progrès sont au centre du récit.

Les œuvres principales de Verne

Voyage au centre de la Terre (1864)
Vingt mille lieues sous les mers (1870)
Le Tour du monde en quatre-vingts jours (1873)
L'Île mystérieuse (1874-1875)

La maison de Jules Verne

Au 44, boulevard Longueville à Amiens il est possible de visiter la maison de l'auteur. Son cabinet de travail est la plus petite pièce où sont nés de nombreux romans. Verne écrivait entre 5 heures et 11 heures du matin. Sur son bureau, un globe terrestre. Sa bibliothèque contient 1200 ouvrages. Ses auteurs préférés ? Homère, Montaigne, Shakespeare, Cooper, Dickens, Walter Scott, Edgar Poe…

Le trophée Jules Verne

Le Trophée Jules Verne naît en 1985 en référence au Tour du monde en 80 jours. Il récompense le navigateur qui améliore le record du tour du monde à la voile. Le gagnant conserve ce Trophée jusqu'à l'amélioration du record. Tous les types de bateaux à voile peuvent participer mais aucune escale n'est permise.

Les personnages de Jules Verne

Lis les portraits que Verne a dressés de ses personnages. Essaie d'écrire leur nom et le roman d'où ils proviennent.

A

« Il était de ces gens mathématiquement exacts, qui, jamais pressés et toujours prêts, sont économes de leurs pas et de leurs mouvements.(...) Il ne se permettait aucun geste superflu. »

....

....

B

« Il était professeur au Johanneaum, et faisait un cours de minéralogie pendant lequel il se mettait régulièrement en colère une fois ou deux (...) C'était un savant égoïste, un puits de science dont la poulie grinçait quand on en voulait tirer quelque chose. En un mot, un avare »

....

....

C

« C'était un homme d'une quarantaine d'années, de taille et de constitution ordinaires (…) avec un nez fort, le nez en proue de vaisseau de l'homme prédestiné aux découvertes.
Cet intrépide découvreur se propose de traverser en ballon toute l'Afrique de l'est à l'ouest. »

....

....

D

« Cet homme formait certainement le plus admirable type que j'eusse jamais rencontré. Détail particulier, ses yeux, un peu écartés l'un de l'autre, pouvaient embrasser simultanément près d'un quart de l'horizon. »

....

....

- Phileas Fogg
- Docteur Samuel Fergusson
- Capitaine Nemo
- Professeur Otto Lidenbrock

- Voyage au centre de la terre
- Cinq semaines en ballon
- Le Tour du monde en 80 jours
- Vingt mille lieues sous les mers

Le travail en usine vers la fin du XIXe siècle
représenté par Adolph von Menzel (1872-1875)

Jules Verne
et les découvertes de son temps

Jules Verne introduit dans ses romans les grandes découvertes scientifiques et techniques qui révolutionnent son époque. En en parlant dans ses romans, il contribue à les diffuser auprès du grand public. Partout émergent les thèmes du voyage, de la découverte, de la géographie et de l'histoire Dans *Cinq semaines en ballon*, Verne parle de l'industrie et il ne cache pas qu'il est plutôt sceptique sur les bienfaits du progrès dans son domaine en faisant dire à l'un de ses personnages : « À force d'inventer des machines, les hommes se feront dévorer par elles ! Je me suis toujours figuré que le dernier jour du monde sera celui où quelque immense chaudière chauffée à trois milliards d'atmosphères fera sauter le globe ! ». Dans Le Tour du monde en 80 jours on voit le progrès des moyens de transport.

Le voyage dans la Lune 1902 Georges Méliès

Dans *Le voyage au centre de la terre* on retrouve le très grand intérêt qu'avaient ses contemporains pour la géologie, la paléontologie, la minéralogie et les théories de l'évolution.

Par contre le roman *De la Terre à la Lune* met en relief le goût de l'époque pour la balistique, l'aéronautique, l'astronomie et la recherche d'une forme de vie extra-terrestre.

Dans *Vingt mille lieues sous les mers*, on retrouve les thèmes de l'océanographie et de l'exploration sous-marine.

Cet auteur est absolument actuel si l'on considère le grand problème de la protection de l'environnement. Par exemple, dans *L'Ile à hélice*, Verne dénonce les responsabilités des politiciens et des missionnaires qui ont détruit les cultures et on abusé de la nature en Polynésie. Dans *Le Sphinx des glaces*, il condamne l'extinction des baleines et dans Le *Testament d'un excentrique*, il dénonce la pollution provoquée par l'industrie du pétrole. Enfin, dans le *Village aérien*, il dénonce le massacre des éléphants pour leur ivoire.

Les grands explorateurs français

L'Âge des découvertes couvre la période qui va de la fin du XVème siècle au début du XVIIème siècle. Les Européens explorent, élaborent des cartes et entrent en contact avec l'Afrique, l'Amérique, l'Asie et l'Océanie. Voilà les principaux explorateurs français qui ont contribué fortement à la constitution de l'Empire colonial français et à la Francophonie.

Carte dessinée par Samuel de Champlain (1567-1635)

Jacques Cartier (1491-1557)

Cet explorateur est né à Saint-Malo qui était l'un des plus grands ports d'Europe. François 1er lui demande d'aller explorer l'Amérique du Nord. Il explore en premier le Golfe de Saint Laurent et découvre ce que l'on appelle aujourd'hui le Québec. Grâce à lui, le fleuve Saint Laurent devient l'axe principal de l'empire français d'Amérique.

Samuel de Champlain (1567-1635)

Après avoir exploré les colonies espagnoles en Amérique, il explore lui aussi le fleuve Saint Laurent et l'Acadie, une région canadienne. Champlain fonde officiellement la ville de Québec en 1608 et on le surnomme le « Père de la Nouvelle France ». Il voit les premiers colons s'installer dans la vallée du Saint Laurent : à sa mort cent cinquante Français vivaient dans cette colonie.

Comte de La Pérouse (1741-1788)

Jean-François de Galaup, Comte de la Pérouse, entre dans la marine à l'âge de 15 ans. En 1785, le Roi Louis XVI décide de l'envoyer à la découverte du monde. La Pérouse explore le Pacifique et l'Océanie où l'on perd mystérieusement ses traces. Plusieurs lieux portent son nom comme par exemple une baie de l'Ile de Pâques et un cratère lunaire.

René Caillié (1799-1838)

En 1828 Caillié pénètre pour la première fois dans la « perle du désert », c'est-à-dire à Tombouctou, au Mali. Cette ville était interdite aux Chrétiens et Jules Verne l'a considéré le « plus intrépide voyageur des temps modernes ». Pour entrer dans la ville, Caillié s'est fait passer pour un homme de Lettres muôsulman. Il a aussi traversé la Guinée et la Côte d'Ivoire.

Louis XVI donnant des instructions à La Pérouse le 29 juin 1785

BILAN

Ce livre n'étant qu'une adaptation du roman de Verne, voilà le voyage complet que Fogg a réalisé en 79 jours. Complète la grille en t'aidant d'un atlas.

Villes	Pays	Continent
Londres Douvres	....	
Calais Paris Mont-Cenis	....	....
Turin Brindisi	....	
Suez	....	....
Aden	....	
Bombay Kholby Allahabad Bénarès Calcutta	....	....
Singapour	....	
Hong Kong Shanghaï	....	
Yokohama	....	
San Francisco Sacramento Salt Lake City Denver Chicago New-York	....	....
Dublin	....	
Liverpool Londres	....	....

CONTENUS

Vocabulaire
La description
Le mobilier
La documentation officielle
Les moyens de transport
La ville
Les métiers
La nature
Les parties du corps
La justice
Le temps atmosphérique

Grammaire
L'adjectif
L'adverbe
La nominalisation
Les pronoms possessifs
Les pronoms démonstratifs
Les pronoms personnels compléments
Le style indirect
La voix passive
L'expression du temps
Le présent
Le passé composé
Le futur dans le passé
Le participe présent
Le gérondif
Les constructions verbales

Orthographe d'usage
Mettre l'accent
Les lettres finales muettes
Les nombres en lettres

LECTURES **ELI** SENIORS